# MARCEL PAGNOL

*DE L'ACADÉMIE FRANÇAISE*

# MARIUS

*Pièce en quatre actes et six tableaux*

## FASQUELLE

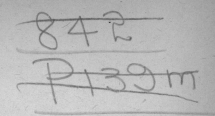

A LÉON ET SIMONE VOLTERRA

# PERSONNAGES

FANNY, 18 ans. La petite marchande de coquillages .... **Mmes**
ORANE-DEMAZIS
HONORINE, 45 ans. Sa mère. C'est une belle poisson-
nière marseillaise ..................................... Alida ROUFFE

MARIUS, 22 ans. Il est assez mince, les yeux profondé- **MM.**
ment enfoncés dans l'orbite. Pensif et gai .......... Pierre FRESNAY
CÉSAR, son père, 50 ans. Patron du bar de la Marine.
Grande brute sympathique aux avant-bras terriblement
velus ................................................ RAIMU
PANISSE, 50 ans. Le maître voilier du Vieux Port. Il a,
sur le quai de la Marine, un long magasin frais qui sent
la ficelle et le goudron .............................. F. CHARPIN
ESCARTEFIGUE, 50 ans. Capitaine du ferry-boat, qui
traverse le Vieux Port quatre fois par jour ............ DULLAC
PIQUOISEAU, mendiant. Sans âge........................ MIHALESCO
M. BRUN, jeune vérificateur des douanes. Il est de Lyon.... P. ASSO
LE CHAUFFEUR DU FERRY-BOAT, 14 à 16 ans ...... MAUPI
LE GOELEC, quartier-maître. Un Breton. ............... CALLAMAND
Une cliente. ......................................... V. RIBE
FÉLICITÉ ............................................. GUÈRET
Une Malaise. ......................................... L. SURÈNA
Un Arabe, marchand de tapis. ......................... VASSY
L'Agent............................................... Henry VILBERT

*La pièce se passe dans le bar de la Marine.*
*Sur le Vieux Port à Marseille.*
*Le fond du décor est plus important que le premier plan.*
*C'est le port que l'on voit au fond.*

*Marius a été représenté pour la première fois, à Paris,*
*le 9 mars 1929,*
*sur la scène du " Théâtre de Paris ".*

# ACTE PREMIER

*L'intérieur d'un petit bar sur le Vieux-Port, à Marseille.
A droite, le comptoir. Derrière le comptoir, sur des étagères, des
bouteilles de toutes les formes, ornées d'étiquettes bigarrées. Deux
gros percolateurs nickelés. A gauche, le long du mur, une banquette
de moleskine qui s'arrête à un mètre du rideau pour laisser la place
à une porte fermée. Des tables rectangulaires en marbre, des chaises.
Au fond, toutes les portes vitrées ont été enlevées, à cause de la
chaleur. Il y a plusieurs tables sur le trottoir, sous une tente en
auvent. On devine que cette espèce de terrasse s'étend assez loin de
chaque côté du bar. Au milieu, juste au bord du trottoir, se dresse
un éventaire où l'on vend des coquillages. On le voit de dos. Il
est peint en vert. Plus loin que l'éventaire, au fond, un entassement
de marchandises. Caisses qui portent en grosses lettres des noms de
villes : Bangkok, Batavia, Sydney. Des tonneaux de fer et, sur
la droite, une montagne d'arachides, sous un soleil éclatant. Enfin,
au-dessus des marchandises, on voit des mâts qui se balancent.*

# Scène première

On entend, au-dehors, des milliers de coups de marteaux sur des coques de navires, les vieux navires en démolition. On entend ferrailler la chaîne des grues. On entend des coups de sifflets lointains.

Fanny, la petite marchande de coquillages, est assise près de l'éventaire. Elle a dix-huit ans. Elle est petite, sa figure a une fraîcheur enfantine, mais son corps est harmonieux et robuste. Ses jambes sont nues, elle a de petits sabots. Elle lit un roman populaire en attendant la pratique. Au comptoir, Marius rince des verres. Il a vingt à vingt-deux ans, il est plutôt grand, mince, les yeux enfoncés dans l'orbite. Au fond, sur la banquette, Piquoiseau. Devant lui, sur la table, une bouteille de rhum vide et un verre plein. Il n'a pas d'âge. Il porte un béret de marin sale et fripé. Un veston en loques. Un pantalon en lambeaux qu'il a roulé pour le retrousser sur son mollet. On voit sous la table ses pieds nus, noirs de crasse et de boue. Au premier plan, à droite, sur une chaise longue de bateau, le patron César. Il dort, son tablier bien rabattu sur le visage, à cause des mouches. Les manches de sa chemise sont retroussées sur ses bras velus. Au premier plan, à gauche, M. Escartefigue, capitaine du *ferry-boat* (il prononce *fériboite*). Devant lui, une tasse de café. Barbe carrée, l'œil d'un pirate, le ventre d'un bourgeois. Il porte un uniforme inconnu, qui tient du gardien de square et de l'amiral. Soudain, une sirène déchirante retentit. Les coups de marteaux peu à peu s'arrêtent. Escartefigue tire sa montre.

## ESCARTEFIGUE, CÉSAR, MARIUS, PIQUOISEAU, LE CHAUFFEUR, FANNY

### ESCARTEFIGUE

Té, midi à la sirène des Docks! (On voit passer devant le bar des ouvriers, la veste pendue à l'épaule. Escartefigue allume un ninas, puis il regarde dormir César. César ronfle. Escartefigue siffle. Le dormeur cesse de ronfler.) Comme il dort, ton père!

### MARIUS

Hé?

### ESCARTEFIGUE, plus fort.

Comme il dort, ton père!

### MARIUS

Oui, il dort. Pensez qu'il se lève à 3 heures tous les matins et qu'il reste au comptoir jusqu'à 9 heures. Et c'est le moment du gros travail.

### ESCARTEFIGUE, il cligne de l'œil.

Et toi, pendant ce temps, tu es dans ton lit.

### MARIUS

Oui, mais je fais l'après-midi et la soirée.

### ESCARTEFIGUE

Oui, quand il n'y a plus personne!

### MARIUS, il s'essuie les mains. Il vient s'asseoir près d'Escartefigue.

Et vous, vous avez beaucoup de monde, aujourd'hui?

### ESCARTEFIGUE

Un passager tous les deux voyages.

MARIUS

Il n'y a donc plus de gens qui ont besoin de traverser le port?

ESCARTEFIGUE, triste.

C'est le Pont Transbordeur qui me fait du tort. Avant qu'ils aient bâti cette ferraille, mon bateau était toujours complet. Maintenant, *ils* vont tous au Transbordeur... C'est plus moderne que le *feriboite*, et puis ils n'ont pas le mal de mer.

MARIUS, incrédule.

Vous avez vu des gens qui ont le mal de mer sur votre bateau?

ESCARTEFIGUE

Oui, j'en ai vu.

MARIUS

Qui?

Un temps. Escartefigue hésite. Puis, bravement.

ESCARTEFIGUE

Moi!

MARIUS

Pour une traversée de cent mètres?

ESCARTEFIGUE, indigné.

Qué, cent mètres! Il y a deux cent six mètres d'une rive à l'autre. Je connais bien le voyage, je le fais quatre fois par jour depuis trente ans!

MARIUS

Trente ans... (Marius secoue la tête.) Et ça ne vous fait rien quand vous voyez passer les autres?

ESCARTEFIGUE

Quels autres?

MARIUS

Ceux qui prennent le port en long au lieu de le prendre en travers.

ESCARTEFIGUE, stupéfait.

Pourquoi veux-tu que ça me fasse quelque chose?

MARIUS

Parce qu'ils vont loin.

ESCARTEFIGUE, sentencieux.

Oui, ils vont loin. Et d'autres fois, et, d'autres fois, ils vont profond.

MARIUS

Mais, le soir, quand vous partez pour la dernière traversée, qu'il y a tant de lumières sur l'eau, il ne vous est jamais venu l'envie...

Il s'arrête brusquement.

ESCARTEFIGUE

Quelle envie?

MARIUS, brusquement.

De tourner la barre, tout d'un coup, et de mettre le cap sur la haute mer.

ESCARTEFIGUE, épouvanté.

Sur la haute mer? Mais tu deviens fada, mon pauvre Marius!

MARIUS

Oh! que non! Je vous ai deviné, allez!

ESCARTEFIGUE

Qu'est-ce que tu as deviné?

MARIUS, à demi-voix.

Que vous souffrez de ne pas sortir du Vieux-Port.

ESCARTEFIGUE

Moi, je souffre?

MARIUS

Oui. (Escartefigue rit.) Quand vous venez prendre l'apé-
itif, des fois, avec M. Caderousse ou M. Philippeaux, qui
arrivent du Brésil ou de Madagascar, et qu'ils vous parlent
de là-bas, je vois bien que ça vous fait quelque chose.

ESCARTEFIGUE

Ça me fait plaisir de les voir revenus de si loin.

MARIUS

Pas plus?

ESCARTEFIGUE

Mais oui, pas plus! Écoute, Marius : je suis fier d'être
marin et capitaine, maître à bord après Dieu. Mais Madagascar, tu ne peux pas te figurer à quel point je m'en fous!
Question de patriotisme, je n'en dis pas de mal et je suis
content que le drapeau français flotte sur ces populations
lointaines, quoique, personnellement, ça ne me fasse pas
la jambe plus belle. Mais y aller? *En bateau?* Merci bien.
Je suis trop heureux ici...

MARIUS

Je ne l'aurais pas cru.

Piquoiseau se lève soudain, et on le voit dans toute sa beauté. Il a un
porte-voix en fer-blanc pendu à sa ceinture et une vieille lunette
marine, des galons cousus à ses manches.

PIQUOISEAU

Demain matin, à 9 heures, tout le monde en blanc su
le pont. Ouvrez le ban! Quartier-maître Piquoiseau, au
nom du gouvernement de la République, je vous fais chevalier de la Légion d'honneur. Fermez le ban!

ESCARTEFIGUE

Oh! Piquoiseau, ça te prend souvent?

PIQUOISEAU, il prend sa lunette marine et le regarde un instant.

Il y a un traître à bord! Amiral Escartefigue, je vous
casse. Vous resterez aux fers jusqu'à Manille! (Il se tourne vers
la rue et sort à gauche, sur le quai, en hurlant dans son porte-voix.)
L'amiral Escartefigue est dégradé! L'amiral Escartefigue
est dégradé!

MARIUS

Il est plus gai qu'hier au soir!

ESCARTEFIGUE

Il t'a payé?

MARIUS

Oui, il me paie toujours d'avance.

ESCARTEFIGUE

Je me demande où il prend l'argent.

MARIUS

Il vend des cartes postales, il pilote des étrangers dans
les vieux quartiers...

ESCARTEFIGUE

Oui, et il fait peut-être de mauvais coups...

### MARIUS

Lui? Jamais de la vie.

On voit paraître sur le seuil un voyou maigre de quatorze ans. Il a
des bandes molletières, un énorme bonnet de police et une large
taïole d'étoffe retient son pantalon. Le tout, noir de crasse et de
fumée. Il fait le salut militaire. C'est le chauffeur du ferry-boat.

### LE CHAUFFEUR

Capitaine, nous partons pas?

### ESCARTEFIGUE

Y a du monde?

### LE CHAUFFEUR

Pas sur ce quai! Mais de l'autre côté, il y en a deux qui
font des signaux...

### ESCARTEFIGUE

Comment font-ils?

### LE CHAUFFEUR

Ils font comme ça. (Il fait des gestes véhéments et désordonnés.)

### ESCARTEFIGUE, paisible.

C'est sûrement des Napolitains qui se parlent.

### LE CHAUFFEUR

Oh! non; ça, c'est des gestes de passagers.

### ESCARTEFIGUE

Alors, j'irai voir ça tout à l'heure.

Le chauffeur sort en courant.

### ESCARTEFIGUE, crie.

En attendant, fais monter la pression et donnes-y quelques coups de sifflet, ça leur fera prendre patience.

LE CHAUFFEUR, de loin.

Bien, capitaine!

ESCARTEFIGUE, il crie encore plus fort.

Rien que trois coups de sifflet, autrement tu me manges toute la vapeur...

LE CHAUFFEUR, à la cantonade.

Bien, capitaine!

ESCARTEFIGUE, il crie au chauffeur.

Et fais attention de ne pas trop ouvrir le sifflet. (A Marius.) Parce qu'après, on ne peut plus le fermer.

Un Arabe paraît sur le seuil. Il est drapé dans des tapis qu'il offre en souriant.

## Scène II

LES MÊMES, moins PIQUOISEAU, L'ARABE

L'ARABE, à Fanny.

Zouli tapis, mamoiselle?

FANNY

Macache.

L'ARABE, à un client qui lit le journal sur la terrasse.

Zouli tapis, m'siou? (Le client ne lève même pas la tête. L'Arabe entre dans le bar.) Zouli tapis, m'siou Marius! Regarde bien çui-là, m'siou Marius : c'est la pure soie du poil de moun! (Il étale un tapis par terre.)

MARIUS

Non, merci!

L'ARABE, il se tourne vers Escartefigue.

Choffe mahlem! Cent francs pour toi, général des bateaux!

ESCARTEFIGUE

Non, merci.

L'ARABE

Tiens, cinquante francs. Allez, va, je ti connais bien, ti donnes vingt-cinq francs... Regarde!

Il lui met le tapis sous le nez.

### ESCARTEFIGUE

Non, va-t'en. Il pue ton tapis!

### L'ARABE, outragé.

Bardon, m'siou! C'est moi je pue, ci pas mon tapis (Il étale un tapis au milieu du bar.) Regarde bien, m'siou Marius si tu marches dessus à pieds nus, il te fait des petites chatouilles que tu vas mourir de plaisir!

### MARIUS

On t'a dit non, sale bicot!

La figure de l'Arabe change brusquement.

### L'ARABE

Allech ti goule " sale bicot "?

Il ajoute, en arabe, quelques mots orduriers.

### FANNY, à l'Arabe.

Allech ti goule adaladour, sidi? (Pourquoi dis-tu des injures, sidi?)

### L'ARABE

Lakrater el srani goullo " sale bicot "! Rani ould tajer! El bouk diali andkou khemcà elf aoudis fi el Marrakech! (Parce que ce chrétien m'appelle " sale bicot ". Je suis fils de bourgeois, et mon père a cinq mille moutons à Marrakech!)

Ti cause arabe, mademoiselle?

### FANNY

Oui, j'ai habité à Oran.

L'ARABE, ravi.

Oran! Zia oulli, m'ziane!

Il va commencer un discours à Fanny. Du comptoir, Marius l'inonde d'un jet de siphon. L'Arabe se retourne brusquement et prononce une série d'abominables injures. Escartefigue rit.

L'ARABE, à Escartefigue.

Qu'est-ce que tu rigoles, toi, allouf?

Il crache dans sa direction et s'enfuit en courant. Marius court à la terrasse et le poursuit d'une bordée d'injures arabes.

FANNY

Dis donc, Marius, je ne sais pas si tu te rends compte de ce que tu dis devant moi!

MARIUS

Je sais que c'est des injures.

FANNY

Et d'ailleurs, tu les prononces très mal.

MARIUS

Ma fille, moi, je suis Marseillais : je ne suis pas né aux colonies, comme toi!

FANNY

Je ne suis pas du tout née aux colonies; je suis née ici, au quai du Canal, et je ne serais jamais allée en Algérie, si mon père n'avait pas été dans les chemins de fer!

ESCARTEFIGUE

Allez donc! Tu es revenue d'Oran quand tu avais treize ans!

FANNY

Et après?

MARIUS

Et après ? Tu as tout de la moukère !

ESCARTEFIGUE, il cligne un œil vers Marius.

Tu parles l'arabe comme feu Abd-el-Kader, et quand
il faut que tu parles français, ça te gêne : tu as un accen
étranger. Nettement.

MARIUS

Nettement.

FANNY, elle éclate de rire.

Té, mon œil ! Regarde mon œil !

A ce moment, une cliente s'arrête près de l'éventaire. Fanny sort
et va la servir. On la voit qui prend une poignée de violets et q
les met dans le sac ouvert que lui tend la cliente. Elle s'en va
Le chauffeur entre en courant hors d'haleine.

LE CHAUFFEUR

Capitaine, y a du monde.

ESCARTEFIGUE

Combien sont-ils ?

LE CHAUFFEUR

Ils sont un, mais ils ont le col et la canne.

ESCARTEFIGUE

J'y vais. Fais-leur la conversation pour qu'ils ne s'en
aillent pas.

LE CHAUFFEUR

Bien, capitaine.

Il salue de nouveau et disparaît. Le capitaine achève son café, puis
il se redresse, jette un coup d'œil vers le miroir.

ESCARTEFIGUE, dans un grand effort.

Allons-y. A Dieu vat!

MARIUS

Il n'est pas gros, votre chauffeur, mais il est joli!

ESCARTEFIGUE

Oh! ne te moque pas de lui; c'est le meilleur chauffeur du monde.

MARIUS

Oyayaïe! Je voudrais le voir devant les grilles d'un gros bateau.

ESCARTEFIGUE, indigné.

Oh! Peuchère! Sur un gros bateau, ils n'ont aucun mérite, parce qu'ils ont la place pour tenir la pelle. Tandis que lui, il ne peut pas bouger et il est aussi près du feu que le bifteck. (Deux coups de sifflet.) Il m'appelle, tu vois; ça lui fait de la peine de faire attendre le passager. Brave petit.

Un coup de sifflet déchirant qui ne s'arrête plus.

MARIUS

Té, il a décroché le sifflet!

ESCARTEFIGUE

Il me mange toute la vapeur! O jobastre! O imbécile! O idiot! Arrête! Arrête!

Il sort en courant.
Fanny se lève, et avec une sorte de longue seringue, elle prend l'eau de mer dans un seau et arrose ses coquillages. Puis elle vient jusqu'à la porte du café, s'appuie à un montant paresseusement et regarde Marius.

## Scène III

### FANNY, MARIUS, CÉSAR

FANNY

Oou Mariu-us!

MARIUS

Oou Fanni-y!

FANNY

A quoi tu penses?

MARIUS

Peut-être à toi.

FANNY

Menteur, va!

MARIUS

Tu crois que je ne pense jamais à toi?

FANNY

Tu penses à moi quand tu me vois!

*Elle entre dans le bar, elle s'approche de lui en souriant.*

Paie-moi le café.

MARIUS

Profitons que mon père dort.

*Il remplit deux tasses et ils commencent à boire.*

FANNY

Pourquoi tu n'es pas venu danser hier au soir?

MARIUS

Où donc?

FANNY

A la Cascade. On danse tous les dimanches.

MARIUS

Tu y vas, toi?

FANNY

Oui. Il y a des gens très bien.

MARIUS

Qui?

FANNY

André, M. Bouzique, Victor... J'ai dansé toute la soirée avec Victor.

MARIUS

Est-ce qu'il a l'air aussi bête quand il danse que quand il marche?

FANNY, elle rit.

Que tu es méchant! Pourquoi ne viens-tu pas là-bas?

MARIUS

Je ne sais pas danser.

FANNY

Si tu veux, je t'apprendrai.

MARIUS

Je n'y tiens pas.

FANNY

Où tu es allé?

MARIUS

Me promener, respirer l'air du soir sur la jetée.

FANNY

Tout seul?

MARIUS

Oui, mais j'ai rencontré M. Brun.

FANNY

Il est revenu?

MARIUS

Hier matin.

FANNY

Qu'est-ce qu'il est allé faire à Paris?

MARIUS

Il a suivi des cours dans une école de douanes. Quand il est parti, il était commis. Maintenant, ils l'ont nommé vérificateur.

FANNY

Ils gagnent beaucoup, les vérificateurs?

MARIUS

M. Brun? Rien que pour faire blanchir ses cols, il lui en faut! (Pendant qu'il savoure une dernière gorgée de café, on entend au loin la sirène d'un navire. Elle a un son grave et puissant qui se prolonge. Marius tressaille, il écoute, puis il dit): Té! Voilà Saïgon!

FANNY

Comment le sais-tu?

MARIUS

C'est le sifflet du *Yara*. (La sirène reprend : le navire demande l'entrée du port. Fanny boit une gorgée de café.) Il demande le pilote.

A ce moment, César respire bruyamment, puis il fait glisser le tablier qui lui cache le visage. Il s'étire. Il regarde autour de lui.

CÉSAR

Fanny, ta mère est malade?

FANNY

Pourquoi me demandez-vous ça?

CÉSAR

Elle n'est pas venue boire son apéritif. C'est peut-être la première fois depuis dix ans.

FANNY

Elle est allée chez la couturière en sortant de la poisson-nerie. Elle se fait une robe.

CÉSAR, à Marius.

Marius, c'est toi qui lui offre le café?

MARIUS

Oui.

CÉSAR, impénétrable et froid.

Bon.

MARIUS

Je viens de le faire. Tu en veux une tasse?

CÉSAR

Non.

MARIUS

Pourquoi?

CÉSAR

Parce que si nous buvons tout gratis, il ne restera plus
rien pour les clients.

FANNY, elle rit.

Oh! vous n'allez pas pleurer pour une tasse de café?

CÉSAR

Ce n'est pas pour le café, c'est pour la manière.

MARIUS

Qué manière?

CÉSAR

De boire le magasin pendant que je dors.

Il va lentement sur la porte et regarde le port en se grattant les cheveux.

MARIUS

Si tu as voulu me faire un affront, tu as réussi.

CÉSAR

Un affront! Quel affront?

MARIUS

Si, à vingt-trois ans, je ne puis pas offrir une tasse de café,
alors, qu'est-ce que je suis?

CÉSAR

Tu es un enfant qui doit obéir à son père.

FANNY

A vingt-trois ans?

CÉSAR

Oui, ma belle. Moi, il a fallu que j'attende l'âge de trente-
deux ans pour que mon père me donne son dernier coup

de pied au derrière. Voilà ce que c'était que la famille, de mon temps. Et il y avait du respect et de la tendresse.

MARIUS

A coups de pied.

CÉSAR

Et on ne voyait pas tant d'ingrats et de révoltés.

FANNY

Eh bien, moi, si ma mère me donnait une gifle, je ne sais pas ce que je ferais.

CÉSAR

Ce que tu ferais? Tu irais pleurer dans un coin, et voilà tout. Et si ton pauvre père était encore vivant pour t'envoyer une petite calotte de temps en temps, ça ne te ferait pas de mal. (Marius et Fanny se regardent en riant. César marmonne.) Ayez donc des enfants, pour qu'ils vous empoisonnent l'existence!

MARIUS, blessé.

Maintenant, je lui empoisonne l'existence! Je te fais la moitié du travail.

CÉSAR

Parlons-en, de ton travail! C'est quand on a besoin de toi que tu disparais.

MARIUS

Moi? Je suis toute la journée au comptoir!

FANNY

C'est la vérité.

CÉSAR

Hier au soir, à 5 heures, quand le *Paul-Lecat* est arrivé,

la terrasse s'est garnie tout d'un coup. Ils étaient peut-êtr
cinquante à appeler le garçon. Et Marius? Disparu.

### MARIUS

J'étais allé chez Caderousse, pour les caisses de grena-
dines.

### CÉSAR

Tu n'aurais pas pu téléphoner?

### MARIUS

J'avais envie de marcher un peu.

### CÉSAR

Et avant-hier matin aussi, tu avais envie de marcher?
A chaque instant, sous n'importe quel prétexte, tu disparais pour une ou deux heures... Il est vrai que quand tu es
là, tu travailles avec un tel dégoût... Tu es pâle, tu es triste :
on dirait un antialcoolique.

### MARIUS

Peut-être que je suis neurasthénique.

### CÉSAR

Toi?

### MARIUS

Pourquoi pas?

### CÉSAR, soupçonneux.

Et où tu l'aurais attrapé?

### MARIUS

Ça vient comme ça.

CÉSAR

Dis donc, n'essaie pas de monter le coup à ton père, hein? (A Fanny.) Et toi, tu ferais mieux de vendre tes clovisses que de rester là à bader. (Fanny sort en riant, car une cliente attend près de l'éventaire.) La vérité, c'est que tu es mou et paresseux. Tu es tout le portrait de ton oncle Émile. Celui-là ne passait jamais au soleil parce que ça le fatiguait de traîner son ombre. Tu es un rêvasseur, voilà ce que tu es. Un rêvasseur. Tu es né là, au-dessus de ce comptoir, et tu ne connais même pas ton métier. Tiens, le chauffeur du ferry-boat, que je prends le samedi comme extra, il le fait mieux que toi.

MARIUS

Qu'est-ce qu'il fait mieux que moi?

CÉSAR

Tout. Tu ne sais même pas doser un cinzano-cassis ou un mandarin-citron. Tu n'en fais pas deux pareils.

MARIUS

Comme les clients n'en boivent qu'un à la fois, ils ne peuvent pas comparer.

CÉSAR

Ah! tu crois ça! Tiens, le père Cougourde, un homme admirable qui buvait douze mandarins par jour, sais-tu pourquoi il ne vient plus? Il me l'a dit. Parce que tes mélanges fantaisistes risquaient de lui gâter la bouche.

MARIUS

Lui gâter la bouche! Un vieux pochard qui a le bec en zinc.

CÉSAR

C'est ça, insulte la clientèle, au lieu de reconnaître ton incapacité!... (Un temps, puis reprenant.) Et la dernière goutte, hein? La dernière goutte?

MARIUS

Quelle dernière goutte?

CÉSAR

Celle qui reste toujours au goulot de la bouteille! Tu n'as pas encore saisi le coup pour la rattraper. Ce n'est pourtant pas sorcier! (Il saisit une bouteille sur le comptoir.) Tiens! (Il verse en faisant tourner la bouteille.) Tu verses en faisant un quart de tour, puis, avec le bouchon, tu remets la goutte dans le goulot. (Il fait comme il dit, avec un geste de mastroquet virtuose.) Tandis que toi, tu fais ça en amateur; et naturellement, tu laisses couler la goutte sur l'étiquette... Et voilà pourquoi (Il essaie de décoller ses doigts.) ces bouteilles sont plus faciles à prendre qu'à lâcher! (Il réussit à la poser sur le comptoir. Marius rit.) Et tu ris!

MARIUS

Toi aussi, tu ris!

CÉSAR

C'est vrai... Mais moi, je ris de ma patience! (Il va jusqu'à la porte et regarde les passants. A ce moment, entrent Panisse et M. Brun. Panisse a cinquante-quatre ans. Taille moyenne, ventre rond, moustache frisée au petit fer. Il a des espadrilles. Il est en bras de chemise et fume la pipe. M. Brun porte des lorgnons, un col de dix centimètres, un chapeau de panama, redingote d'alpaga noir.) Et voici maître Panisse, le maître voilier du port de Marseille!

## Scène IV

## LES MÊMES, PANISSE, M. BRUN

M. BRUN

Bonjour, maître empoisonneur! (Il serre la main poissée de César.) Oh!...

CÉSAR

Une invention de Marius. La bouteille attrape-mouches. Alors, monsieur Brun, vous êtes vérificateur, maintenant?

M. BRUN

En titre, cher maître, en titre.

CÉSAR

On vous sert deux bons cafés?

M. BRUN

Non, pas pour moi. Je viens déguster...

FANNY

Des coquillages?

M. BRUN

Tout juste.

FANNY

Je vous prépare un panaché?

M. BRUN

Moitié moules, moitié clovisses.

FANNY

Et deux beaux violets au milieu.

CÉSAR

Avec une bouteille de petit vin blanc.

M. BRUN

S'il est frais.

CÉSAR

S'il est frais? Touchez-moi ça! On dirait que ça vient des vignobles du pôle Nord! (Il débouche la bouteille. M. Brun et Panisse se sont assis.) Alors, dites, ce Paris, ça vaut la peine d'être vu?

M. BRUN

Ah! oui. C'est impressionnant.

PANISSE

Dis donc, il est monté sur la tourifèle.

CÉSAR, vexé.

A ce qu'il paraît que comme largeur, c'est la moitié du Pont Transbordeur.

M. BRUN, il rit et, avec un peu de condescendance.

Peut-être, mais c'est au moins cinq fois plus haut.

PANISSE, ennemi de la tourifèle.

Ça, vous ne l'avez pas mesuré!

CÉSAR, catégorique.

Et puis, c'est peut-être plus haut, mais, en tout cas, la largeur n'y est pas.

Fanny apporte l'assiette de coquillages devant M. Brun qui commence à déguster après avoir placé son mouchoir à son faux col.

PANISSE

Merci, ma jolie!

CÉSAR

Vous vous êtes beaucoup promené, là-bas?

M. BRUN

Oh! oui. Chaque soir, après mes cours, j'allais flâner
sur les boulevards...

CÉSAR

Alors, vous avez vu Landolfi?

M. BRUN

Qui est-ce, Landolfi?

CÉSAR

Un Parisien que j'ai connu au régiment. Un grand blond,
un peu maigre, avec une paupière qui retombe... Allons,
vous l'avez sûrement rencontré!

M. BRUN

Eh! non, je n'ai pas vu Landolfi.

CÉSAR

Vous ne l'avez pas vu?

M. BRUN

Non.

CÉSAR

Alors, il est mort.

PANISSE, consterné.

Oh! peuchère!

M. BRUN

Mais non! Vous savez, Paris est grand, et on n'y connaît
pas tout le monde comme ici.

CÉSAR, incrédule.

C'est vraiment beaucoup plus grand que Marseille?

M. BRUN

J'ai vu au moins quarante Cannebières!

César et Panisse éclatent d'un rire joyeux.

CÉSAR

O Panisse! Quarante Cannebières! Et après, on dira que nous exagérons! Et vous êtes vérificateur! Quelle mentalité! Ah! on voit bien que vous êtes Lyonnais, vous! (La sirène des docks siffle. César regarde la pendule.) O coquin de sort : midi et demi!

Il sort brusquement en courant.

PANISSE, surpris.

Où va-t-il?

MARIUS

Il va s'habiller. C'est lundi, aujourd'hui.

M. BRUN

Qu'y a-t-il de particulier, le lundi?

MARIUS, confidentiel.

Le lundi, à midi et demi, mon père va voir ses amours.

PANISSE

Une Italienne, tout ce qu'il y a de beau : une femme comme ça!

En écartant ses deux mains ouvertes devant sa poitrine, il donne à entendre qu'elle a des seins comme des pastèques.

MARIUS

Oh! non, maintenant, c'est changé. Il a trouvé une Hollandaise qui est au moins du double! Dites... (Ils rient.)

surtout, faites semblant de ne rien savoir, hein? Il croit
que personne ne s'en doute. Chaque fois qu'il va la voir,
il cherche des prétextes et il me donne des explications
pendant dix minutes.

M. BRUN

Pourtant, ce n'est pas un crime d'avoir une maîtresse
quand on est veuf!

PANISSE, dans un cri douloureux.

Veuf! Ah! veuf! Ah! pas ce mot devant moi, monsieur
Brun!

MARIUS, les doigts fermés, sauf le petit doigt et l'index
il fait le geste classique qui rend inoffensifs les mots qu'il ne faut pas prononcer.

Hi, hi, hi...

M. BRUN

Pourquoi?

PANISSE

Vous n'avez pas su mon malheur? (Il montre sur la manche
de sa chemise un minuscule papillon de crêpe.) Tenez, monsieur
Brun.

M. BRUN

Quoi? Mme Panisse?

PANISSE

Oui, monsieur Brun! Il y aura trois mois demain! Elle
si forte, si gaillarde...

M. BRUN

Oh! mon pauvre ami!

PANISSE

A ce qu'il paraît qu'elle avait une maladie de cœur...
Ces choses-là frappent d'un seul coup... lâchement. Le

vendredi, elle avait encore mangé un aïoli du tonnerre de Dieu, avec les escargots et la morue... Et le dimanche matin, dernier soupir.

M. BRUN

Si vite! Quelle catastrophe!

PANISSE

Oui, oui... Vous me direz tout ce que vous voudrez, mais il y a des fois que le bon Dieu n'est pas gentil. Une si brave femme, si dévouée, si travailleuse, qui faisait marcher les ouvrières comme pas une... Et avec ça, dans l'intimité, elle était gaie et rieuse... Il lui fallait tout le temps des taquineries et des jeux... Le matin, quand elle était en chemise, je m'amusais à lui courir après autour de la table de la salle à manger. Je lui donnais de petites tapes, je lui tirais des pinces... Gentiment, pour rire... et alors, pour se venger, elle me faisait des chatouilles...

M. BRUN

Ne remuez pas vos souvenirs, Panisse, ça vous fait du mal...

PANISSE

Oui, quand on pense que tout ça ne reviendra plus! A quoi ça me sert, maintenant, d'être juge au tribunal des prud'hommes? Et ce petit cotre que je venais d'acheter pour aller au cabanon, le dimanche, qu'est-ce que vous voulez que j'en fasse?

M. BRUN

Évidemment, c'est un coup terrible... Mais il faut réagir. Il faut vous dire que nous sommes tous mortels, il faut vous faire une raison.

PANISSE, violent.

Et quand on ne peut pas?

M. BRUN

Le temps vous aidera, sans doute.

PANISSE

Le temps? Allons donc!... Plus ça va, plus je descends... Je passe mes nuits à pleurer... Voyons, monsieur Brun, est-ce que cela peut durer?

M. BRUN

Que faire, pourtant?

PANISSE, sombre.

Oh! je le sais bien, allez.

M. BRUN, inquiet.

Voyons, Panisse?

PANISSE

C'est facile à dire, voyons. Je vous le dis à vous, parce que j'ai envie de le dire à quelqu'un et que vous êtes un ami! Ma résolution est prise...

M. BRUN

Allons, soyez viril... réfléchissez...

PANISSE

C'est tout réfléchi. Je ne suis pas capable de supporter ce calvaire.

M. BRUN

Attendez encore un peu... vous verrez...

PANISSE

Non, non, non. (Un temps.) Je préfère me remarier tout de suite.

M. BRUN, interloqué.

Vous préférez vous remarier?

PANISSE

Le plus tôt possible, mon bon. C'est bête de rester toujours seul à se faire du mauvais sang. Elle est morte? Elle est morte. Ce n'est pas en maigrissant que je pourrai la ressusciter, pas vrai!

M. BRUN

Bien sûr!

PANISSE

Il y en a peut-être qui trouveront que je n'ai pas attendu assez longtemps, mais j'ai la conscience tranquille... parce que moi, en quatre mois, je l'ai pleurée bien plus qu'un autre en cinq ans. (Il montre le bout de son pouce pour montrer la grosseur de ses larmes.) Des larmes comme ça, monsieur Brun... et des cris terribles... Je me demande comment j'ai fait pour tenir le coup!

M. BRUN

Pauvre Panisse!

PANISSE

Ah! oui, je suis bien à plaindre. (Ils trinquent.) A la vôtre... Qu'est-ce que vous en pensez?

M. BRUN, narquois.

Je ne serais pas étonné si vous me disiez que vous avez déjà choisi votre nouvelle femme.

PANISSE

Oh! pour ça, oui, naturellement, et je vais présenter ma demande ces jours-ci, à la première occasion.

M. BRUN, coquin.

Qui est-ce?

PANISSE, rigolard.

Je ne peux pas encore vous le dire. Mais je vous retiens pour la noce, qué!

M. BRUN

J'y compte bien.

PANISSE

Je louerai des autos pour tous les invités. Il y aura les prud'hommes, tous mes clients, tous mes amis... Il n'y manquera qu'une seule personne, mais elle y manquera bien, allez! Ma pauvre Félicité, peuchère, elle qui aimait tant les fêtes! Mais quoi, le bon Dieu ne l'a pas voulu! Que faire? Elle nous verra de là-haut, où elle est sûrement plus heureuse que nous.

On entend au-dehors une voix qui crie.

LA VOIX

Panisse!

PANISSE, sans bouger.

Quoi?

LA VOIX

Le second de la *Malaisie* est au magasin!

PANISSE

J'y vais! (A M. Brun.) Coquin de sort! C'est une grosse commande, il faut sauter dessus! (Il allonge ses jambes sur une chaise de renfort.) Ils sont déjà venus hier, pour un jeu complet de voiles de rechange.

M. BRUN

Un gros bateau?

PANISSE

C'est la *Malaisie*!

M. BRUN

Le trois-mâts qui part en mission? Quand part-il?

PANISSE

Dans un mois, vers la fin de juillet.

M. BRUN

Drôle d'idée d'aller en mission sur un voilier!

MARIUS

Pardon, monsieur Brun. Ils partent pour étudier les vents et les courants, depuis Suez jusqu'en Océanie, et puis, c'est un voilier qui a une machine de secours.

PANISSE

Qui te l'a dit?

MARIUS

Un quartier-maître qui est venu boire à la terrasse.

LA VOIX, dehors.

O Panisse, tu te dépêches?

PANISSE, avec une grande indignation.

Vouei! Sauvage! Donne-moi le temps d'arriver! (Dans un cri de révolte.) Tu ne veux tout de même pas que je me fasse mourir!

Il se lève, vide sa tasse.

M. BRUN

Vous finirez tout de même par y aller!

PANISSE, tristement.

Que voulez-vous, quand on est pas rentier, le travail, c'est le travail.

Il sort dans le soleil.

## Scène V

LES MÊMES, moins PANISSE, puis LA MALAISE

MARIUS

Il vous a dit qu'il allait se remarier?

M. BRUN

Oui, et je trouve qu'il va un peu vite... Il n'y a que trois mois qu'il est veuf...

MARIUS

Il est veuf depuis trois mois, mais cocu depuis vingt ans... Il vous a dit quelle femme il épouse?

M. BRUN

Non; il paraît que c'est un secret.

MARIUS

Je le sais, son secret. Il épouse Honorine, la mère de Fanny.

M. BRUN

Elle n'est encore pas mal, Honorine, et je les trouve assez bien assortis...

> Une femme paraît sur le seuil. Elle est petite, les pieds nus, la peau
> cuivrée. Une énorme chevelure crépue. Elle porte dans ses bras
> cinq ou six fruits de l'arbre à pain. Elle les offre en souriant, sans
> dire un mot, mais en montrant des dents éclatantes.

MARIUS, il s'approche.

Qu'est-ce que c'est?

LA MALAISE

Quat francs.

M. BRUN

Ce sont des fruits de l'arbre à pain... D'où viennent-ils?

LA MALAISE

Quat francs.

M. BRUN

Oui, mais Manille, Bombay, Java?

LA MALAISE

Samoa.

MARIUS

Et comment ça s'appelle dans ton pays?

LA MALAISE

Quat francs.

M. BRUN

Elle y tient à ses quat francs?

MARIUS

Non... Coco? Banane? Mangues?

LA MALAISE

Maïoré.

MARIUS

Maïoré! Tiens, voilà quat francs. (A M. Brun.) Je veux le goûter.

M. BRUN

C'est excellent... Il faut le faire chauffer sur le feu et, quand l'écorce commence à se fendre, tu n'as qu'à le peler et le manger. On dirait de la brioche.

> La Malaise sort en souriant, gracieuse et légère.

### MARIUS, flairant le fruit.

Maïoré... C'est drôle comme on voit les pays par leur odeur.... (Marius flaire le fruit. Soudain on entend le pas de César dans l'escalier. Marius court au comptoir, après un regard d'intelligence à M. Brun. A voix basse.) Monsieur Brun!

> Clin d'œil vers la porte. Il feint de lire un journal. M. Brun fait de même. Entre César. Il a mis un costume splendide, gris perle. Il porte un chapeau de paille fendu qui a la forme d'un chapeau mou. Souliers éclatants, canne fantaisie.

### CÉSAR

Hum... Alors, je sors.

### MARIUS

Bon, tu sors.

### CÉSAR

Je vais faire un petit tour par là, en ville, de ce côté-là...

### MARIUS

Bon.

### CÉSAR

Quelques courses sans importance, d'ailleurs.... Peut-être même je pousserai une pointe jusqu'au café Mostégui... manger une soupe au poisson. Enfin, un bisteck et des pommes de terre frites... Enfin, un petit plaisir... Enfin, je sors...

> Il va sortir, il est sauvé.

M. BRUN, malicieux.

Au fond, vous n'avez pas besoin de donner des explications.

CÉSAR, il se retourne brusquement.

Mais je ne donne pas d'explications. Ce serait malheureux à mon âge s'il fallait que je donne des explications pour sortir! Je dis que je vais manger une soupe au poisson chez Mostégui. Ce n'est pas une explication. C'est un renseignement.

M. BRUN, perfide.

C'est-à-dire que si l'on a besoin de vous, on n'aura qu'à aller vous demander au café de M. Mostégui.

CÉSAR, violent.

Non, monsieur, non. On ne viendra pas me demander "au café de M. Mostégui." Je dis... je dis que je n'ai rien à dire, que s'il me plaît de faire un tour, je n'ai pas besoin de demander la permission à un Lyonnais.

M. BRUN

Mais personne ne dit le contraire!

CÉSAR

Mais c'est incroyable, cette inquisition! Si j'avais quatre-vingt-six ans, je comprendrais qu'on me surveille, qu'on m'espionne... Mais, n... de D..., j'ai encore ma tête à moi! On peut me laisser sortir seul, je ne tomberai pas dans le Vieux Port.

MARIUS

Mais, papa, personne ne te dit rien. Tu vas faire un petit tour, c'est tout naturel.

CÉSAR

Voilà le mot. C'est naturel. Mon fils l'a dit : c'est NATU-REL. Je sors naturellement. Mais c'est toujours ceux qui ne devraient rien dire qui viennent se mettre au milieu!... C'est de la suspicion! De la suspicion! Je ne veux pas être suspecté par un Lyonnais! (Un temps, M. Brun lit son journal. César arrange son panama devant le miroir.) Allons, au revoir tout de même, monsieur Brun.

M. BRUN

Au revoir, patron...

CÉSAR

Je reviendrai vers 6 heures. (Il va pour sortir, puis il reparaît.) Si la voiture de Picon passe, tu prendras douze bouteilles. Ça fera 240 francs.

MARIUS, il flaire toujours le fruit.

Oui. (Il répète.) Maïoré.

CÉSAR, sur la porte.

Tu as compris ce que je t'ai dit? Douze bouteilles : 240 francs.

MARIUS

Oui.

CÉSAR

Tu t'en rappelleras au moins?

MARIUS, énervé.

Oui! Je ne suis pas idiot! Il n'y a pas besoin de répéter vingt fois les choses! Si la voiture de Picon passe, je prendrai 240 bouteilles, c'est entendu!

CÉSAR

240 bouteilles! Oh! n... de D...! (Il hurle.) Douze bouteilles, propre à rien. Tu prendras douze bouteilles! (Il répète en martelant les mots.) Si la voiture de Picon passe, tu prendras 12 bouteilles. Si la voiture de Picon passe, tu prendras... Té, tu ne prendras rien. Je leur téléphonerai. Ah! mon pauvre enfant!

MARIUS, vexé.

Qué, ton pauvre enfant?

CÉSAR

Quand on fera danser les couillons, tu ne seras pas à l'orchestre.

Il sort en haussant les épaules.

## Scène VI

## LES MÊMES, moins LA MALAISE et CÉSAR

M. BRUN

Il est caustique, ton père.

MARIUS

Il n'est pas méchant, mais il ne faut pas le sortir de son métier.

> Un temps. Au loin, des sifflets de bateau. Sur la porte, des mouches tournent dans le soleil. Soudain, M. Brun fait un effort pour se lever.

M. BRUN

Et maintenant, au môle G, Saïgon va débarquer dans une heure.

MARIUS

Je l'ai entendu siffler. Au fond, vous êtes comme Panisse, vous. Ça vous fait de la peine de vous lever.

M. BRUN

Et pourtant je suis de Lyon. Mais ici, je ne sais pas si c'est le climat, on resterait assis toute la journée.

MARIUS, confidentiel.

Il y a longtemps que je l'ai remarqué. A Marseille, il n'y a rien d'aussi pénible que le travail.

M. BRUN

C'est vrai. (Il se lève.) Alors, à ce soir.

MARIUS

A ce soir, monsieur Brun.

Il flaire toujours le fruit. Au-dehors, paraît Honorine. C'est une forte matrone de quarante-cinq ans. Elle a une robe neuve de couleurs éclatantes. Grandes boucles d'oreilles. Fanny l'embrasse puis fait un pas en arrière pour regarder la robe.

## Scène VII

HONORINE, FANNY, MARIUS puis PIQUOISEAU

HONORINE

Bonjour, monsieur Brun.

M. BRUN

Bonjour, Honorine.

HONORINE, à Fanny.

Comment tu la trouves?

FANNY

Elle te va bien.

HONORINE

Cette fois, elle a réussi les emmanchures.

Honorine entre dans le bar, Fanny la suit.

FANNY

Je crois qu'elle t'a mis la taille un peu haut.

HONORINE

C'est moi qui lui ai demandé. Ça fait plus dégagé. Marius, donne-moi mon apéritif.

MARIUS

Vous n'avez pas encore mangé?

HONORINE

Oui, j'ai mangé. Donne-moi quand même un mandarin-citron. (A Fanny.) Tu as vendu beaucoup, ce matin?

FANNY

Ce matin, je n'ai fait que 80 francs.

HONORINE

Parce que tu viens bavarder ici au lieu de rester près de l'inventaire.

FANNY

On ne dit pas l'inventaire.

HONORINE

Comme on dit, alors?...

FANNY

On dit l'éventaire.

HONORINE, indignée.

De quoi je me mêle! Tu ne crois pourtant pas que tu vas apprendre le français à ta mère, non? Donne-moi ton carnet. (Marius pose le verre sur le comptoir.) Merci, Marius...

> Fanny lui tend un carnet crasseux. Honorine en tire un autre de son corsage, un bout de crayon y est attaché par un bout de ficelle usée.

FANNY

Tu vas rester là un moment?

### HONORINE

Oui.

### FANNY

Surveille un peu la baraque. Je vais jusqu'à la maison.

### HONORINE

Pour quoi faire?

### FANNY

Pour changer de robe, celle-là est toute tachée, j'ai honte
à côté de la tienne.

### HONORINE

Bon.

> Fanny sort. Honorine se plonge dans ses comptes et boit une gorgée
> de mandarin de temps en temps. Piquoiseau paraît sur la porte.
> Il a un air mystérieux, il regarde prudemment s'il n'y a pas de
> suspect dans le bar, puis il entre.

### PIQUOISEAU

Marius!...

### HONORINE, à elle-même.

Aqui lou fada!

### PIQUOISEAU

Marius, voilà!

> Il lui remet une lettre.

### MARIUS

Merci.

### PIQUOISEAU, à voix basse.

Je vais t'expliquer le coup...

MARIUS, même jeu.

Tais-toi. Sors dans la rue, fais le tour et viens me parler dans une minute à la fenêtre de ma chambre.

Piquoiseau cligne un œil. Il s'avance vers Honorine et, par une panto-mime énergique, exprime qu'il l'étranglerait volontiers. Honorine lève la tête et le voit.

HONORINE, compatissante.

Qué malheur!

Piquoiseau sort, Honorine se replonge dans ses comptes.

MARIUS

Dites, Norine, vous restez là un moment?

HONORINE

Oui.

MARIUS

Je vais dans ma chambre. S'il vient quelqu'un, vous m'appellerez.

HONORINE

Bon.

## Scène VIII

## HONORINE, PANISSE

HONORINE, elle fait ses comptes avec application.

Soixante-huit et neuf, septante-sept, et huit, quatre-vingt-cinq et six, nonante et un.

Entre Panisse.

#### PANISSE

Bonjour, Norine. Ça a marché, ce matin?

#### HONORINE

Comme d'habitude. J'ai fait sept kilos de rougets, un peu de baudroie, des daurades et un beau fiala... Nonante et un et cinq, nonante-six...

PANISSE, désinvolte.

Ce matin, le mistral s'est tué. Demain, la pêche sera bonne.

#### HONORINE

Oui, il y aura du rouget...

Elle inscrit encore un chiffre, puis elle referme le carnet.

PANISSE, un peu hésitant.

Dites, Norine, vous viendrez encore au cabanon, dimanche?

HONORINE

Au cabanon? Oh! dites, Panisse, ça fera deux fois en quinze jours!

PANISSE, galant.

Si ça vous déplaît, c'est deux fois de trop. Mais si ça vous amuse, ce n'est pas assez.

HONORINE

Ça ne me déplaît pas, au contraire. Le bon air, un fin dîner, une bonne bouteille... Mais ça fait parler les gens.

PANISSE

Vous savez, Norine, quoi qu'on fasse, les gens parlent toujours.

HONORINE, brusquement sérieuse.

Panisse, depuis quelque temps, je vous vois venir. Mais si la chose n'est pas sérieuse, il vaut mieux l'arrêter tout de suite.

PANISSE

Qu'est-ce que vous appelez sérieuse?

HONORINE

Dans ma famille, il y a de l'honneur... A part ma sœur Zoé, la pauvre, qui avait l'amour dans le sang et qui est tombée à la renverse sur tous les sacs du Vieux Port. Mais sur toutes les autres femmes de ma famille, personne ne peut dire ça. (Ongle sur la dent.) Alors, si ce n'est pas pour le mariage, dites-moi-le!

PANISSE

Honorine, vous savez bien que je pense au mariage. Ça a toujours été mon idée...

HONORINE

Alors, c'est tout différent.

PANISSE

Si vous venez au cabanon dimanche, nous serons bien
à l'aise pour discuter tous les détails.

HONORINE

Oui... Dimanche... Justement Fanny doit aller passer
la journée à Aix, chez ma sœur Claudine, et elle revient
que le soir... J'aurai même pas besoin de lui dire où je suis
allée.

PANISSE, surpris.

Elle ne viendra pas avec nous?

HONORINE

Nous serons plus tranquilles pour discuter.

PANISSE, perplexe.

Oui, nous serons plus tranquilles. Mais vous auriez pu
l'amener tout de même.

HONORINE, confuse.

La vérité, c'est que j'ai un peu honte devant elle...

PANISSE

Honte de quoi?

HONORINE

Vous ne comprenez pas? Ah! les hommes, comme c'est
peu délicat! Brigandas... va... Qui m'aurait dit, quand
vous faisiez la partie aux boules avec mon pauvre frisé,
qu'un jour vous m'emmèneriez au cabanon toute seule...

PANISSE, inquiet.

Dites, Norine, je ne sais pas si nous sommes d'accord.

HONORINE

Si nous ne sommes pas d'accord, nous pourrons toujours nous expliquer. Il n'y a qu'une chose que je discuterai, c'est la communauté. Je veux la communauté.

PANISSE

Pour ça on s'entendra toujours. Mais il me semble qu'il y a une erreur de votre part... Vous croyez peut-être que c'est vous que je veux?

HONORINE

Comment, si je crois? Vous ne venez pas de me le dire?

PANISSE

Mais non, je ne vous ai jamais dit ça! Vous n'êtes pas seule dans votre famille.

HONORINE, frappée d'une révélation subite.

C'est peut-être pas la petite?

PANISSE

Mais oui, c'est la petite, naturellement.

HONORINE

La petite? Allez, vaï, vous galéjez!

PANISSE

Voyons, Norine! Vous ne pensez pas qu'à votre âge...

HONORINE, se lève furieuse.

Qué, mon âge! Il y en a de plus jolis que vous qui me courent derrière! Mon âge! Et il faut s'entendre dire ça par un vieux polichinelle que les dents lui bougent!

PANISSE

Voyons, ma belle, vous savez bien...

HONORINE

Vous ne vous êtes pas regardé! Si mes rascasses n'étaient pas plus fraîches que vous, je n'en vendrais guère.

PANISSE, conciliant.

Vaï, ne parlons pas de vos rascasses... Il s'agit de la petite!

HONORINE, au comble de l'indignation.

La petite! Qui pourrait imaginer une chose pareille!... Vous n'en avez pas assez porté avec votre première?

PANISSE

Comment, assez porté?

HONORINE

Si on vous avait mis une voile entre les cornes, il aurait fallu une brave quille pour vous tenir d'aplomb.

PANISSE, rouge de colère, se lève.

Vous qui parlez tant des autres, vous devriez un peu nous dire ce que vous alliez faire, le soir, dans l'entrepôt de maître Barbentane, avec le Sénégalais...

HONORINE

Voilà tout ce qu'il peut trouver à dire, ce pauvre vieux!

Oui; j'allais parler avec le Sénégalais. Et après? Est-ce qu'une honnête femme ne peut pas faire la conversation avec un soldat français?

### PANISSE

Allons, Norine, c'est bête de nous disputer pour rien... Un mot malheureux de ma part...

### HONORINE

La petite! Quel toupet! Fanny!

> Elle rit avec mépris. Une cliente apparaît près des coquillages. Elle touche la marchandise. Honorine se lève et va vers elle.

Vous désirez quelque chose, ma belle?

LA CLIENTE, c'est une vieille fille dont le chapeau porte un petit oiseau. Un col de dentelle baleiné monte jusqu'au menton.

Je voudrais des violets. Mais ceux-là sont bien petits.

### HONORINE

Il y en a de plus gros.

> Elle lui montre d'autres violets.

### LA CLIENTE

Ils sont vraiment bien petits.

### HONORINE

Ils sont comme d'habitude.

### LA CLIENTE

Je les trouve... je les trouve petits.

HONORINE

Si c'est des monstres que vous voulez, il faut aller à l'aquarion!

LA CLIENTE, elle tripote des violets qu'elle garde à la main.

Je ne veux pas des monstres.

HONORINE

Alors? Je vous en mets une douzaine?

LA CLIENTE

Oh! non. Ils sont... Ils sont petits.

HONORINE

Si vous ne les voulez pas, laissez-les. Et puis ne les pétrissez pas comme ça. Ce n'est pas en les tripotant que vous les ferez grossir. (La cliente disparaît, Honorine revient dans le café.) Ma fille... Fanny... ma fille...

PANISSE, après un temps.

J'aurais donné cent mille francs à la petite comme dot.

HONORINE, dans un éclat de rire méprisant.

Cent mille francs! (Un ton plus bas, avec un sourire de mépris.) Cent mille francs! (Sérieusement, d'un ton interrogateur.) Cent mille francs?

PANISSE

Oui, je lui constituerais une dot...

HONORINE, intéressée.

Allez, vaï, ne plaisantez pas.

PANISSE

Honorine, ma belle, venez vous asseoir ici, que je vous

dise bien la chose. Si vous me donnez la petite, je lui fais
une dot de cent mille francs, et une pension de quatre cents
francs par mois pour sa mère.

### HONORINE

Non, non. Moi, je ne veux rien. Je ne demande qu'à
habiter avec vous, voilà tout.

### PANISSE, pas très enchanté.

Pour ça, on s'entendra toujours. Elle aura une bonne.
Et je lui laisserai tout par testament.

*Un temps. Honorine réfléchit. Panisse attend, souriant.*

### HONORINE

Panisse, la petite ne voudra jamais.

### PANISSE

Si elle voulait, qu'est-ce que vous diriez?

### HONORINE

Naturellement, je ne l'empêcherais pas de faire sa vie,
mais elle ne voudra pas.

### PANISSE

Je lui en ai déjà parlé.

### HONORINE

Quand?

### PANISSE

Dimanche dernier, au cabanon. Pendant que vous faisiez la bouillabaisse.

HONORINE

Qu'est-ce qu'elle vous a dit?

PANISSE

De m'adresser à sa mère. Ça veut dire qu'elle accepte.

HONORINE

Quelle petite masque! Elle m'a bien trompée celle-là!
Vous lui avez parlé des cent mille francs?...

PANISSE

Non. C'est elle qui m'en a parlé.

HONORINE, avec fierté.

Elle est magnifique, cette petite.

PANISSE

Et je vous signerai des papiers dès que vous aurez dit oui.

HONORINE

Dites, Panisse, parlons peu mais parlons bien. Vous
avez bien réfléchi à la chose?

PANISSE

Oui. J'ai réfléchi.

HONORINE

Vous avez vu qu'elle a trente ans de moins que vous?

PANISSE, avec un grand bon sens.

Eh! oui, mais ce n'est pas de ma faute.

HONORINE

Vous savez ce qui arrivera?

PANISSE

Mais elle aura tout ce qu'elle voudra. De l'argent, des
robes, des bijoux...

HONORINE, elle secoue la tête d'un air plein de doute.

Je le sais! Vous êtes un brave homme. Mais je crains bien qu'il ne lui manque le principal.

PANISSE

Quel principal?

HONORINE

Je me comprends.

PANISSE, il sourit avantageusement, se redresse et frise ses moustaches.

Allons, Norine... Parlez pas de ce que vous ignorez!

HONORINE

Je sais qu'il n'y a rien de plus beau que l'amour.

PANISSE, même jeu.

Mais je suis bien de votre avis.

HONORINE

Mais il vaut mieux avoir dix-huit ans.

PANISSE, même jeu.

Eh bien, la petite a dix-huit ans.

HONORINE

Et vous, cinquante.

PANISSE, malin.

Seulement, j'ai 600.000 francs.

HONORINE

Ah! mon pauvre Panisse, les chemises de nuit n'ont point de poches! Moi, je vous parle dans votre intérêt. Bien sûr, c'est un beau parti pour ma petite... (Elle rêve un instant.) Mais quand je pense à ça, et que je vous regarde, je vous vois une paire de cornes qui va trouer le plafond.

PANISSE, vexé.

Vous vous trompez, voilà tout. Tout ce que je vous demande, c'est de me dire oui. Le reste, je m'en charge.

HONORINE

Eh bien, je vais lui en parler. Je vous répondrai dans quelques jours.

PANISSE

Bon. Dans quelques jours. J'attendrai.

HONORINE

Seulement, je voudrais bien regarder les comptes de votre magasin. Ce n'est pas la curiosité, Panisse. C'est l'amour maternel.

PANISSE

Venez demain matin, je vous expliquerai tout.

HONORINE

Oui, demain, après-demain, je ne suis pas pressée. J'ai confiance. Mais, té, je vois Fanny qui arrive. Nous pourrions y aller tout de suite?

PANISSE, bon enfant.

Si vous voulez!

HONORINE, elle crie.

Marius!

MARIUS, voix en coulisse.

Oui!

HONORINE

Je m'en vais! S'il vient du monde, occupe-toi-z'en!

MARIUS, en coulisse.

Bon! Je viens.

PANISSE, à mi-voix.

Dites, vous ne croyez pas que Fanny et Marius, il y a
entre eux un certain sentiment?

HONORINE

Ah! pour ça, c'est sûr! Et c'est naturel!

PANISSE

Pourquoi?

HONORINE, froidement.

Parce que, le samedi soir, au cabanon, ils ont souvent
couché ensemble.

PANISSE, épouvanté.

Ils ont... Honorine, qu'est-ce que vous dites?

HONORINE

Eh! oui! Au cabanon, il n'y avait qu'un berceau.

PANISSE, en sortant.

Oh! Coquin de sort que vous m'avez fait peur!

HONORINE

Allons, venez, mon gendre. Vous êtes peureux... et vous
voulez vous marier?

Ils sortent. Entre Marius par la porte du premier plan. Une marchande crie : " Picon... Picon... " L'Arabe crie : " Jolis tapis... "
Fanny apparaît sur le seuil. Elle a une jolie robe verte et une chemisette de soie chatoyante. Elle s'approche de Marius qui la regarde
des pieds à la tête.

## Scène IX

## FANNY, MARIUS

FANNY

Qu'est-ce que tu regardes comme ça?

MARIUS

Tu as une bien jolie chemisette!

FANNY

C'est ma mère qui me l'a faite. (Un temps.) Tu voudrais bien voir ce qu'il y a dedans, qué!

MARIUS, très gêné.

Ça ne me ferait pas peur, tu sais!

FANNY

Toi? Tu partirais en courant jusqu'à la Joliette!

MARIUS

Tu crois ça?

FANNY

Oui. Tu es tout le temps à réfléchir et à penser. Si une fille te regarde, tu baisses les yeux.

MARIUS

Regarde-moi un peu, pour voir! (Elle s'approche de lui, elle le regarde bien dans les yeux. Elle se rapproche peu à peu, elle a dou-

cit son regard qui brille cependant d'un éclat intense. Marius se trouble…
Il essaie un petit rire, il rougit, il baisse les yeux, puis il hausse les épaules
et dit.) Que tu es bête! (Fanny se met à rire, elle va jusqu'à la porte,
elle se tourne vers lui, elle rit encore.) Qu'est-ce que tu as à rire
comme ça?

FANNY

Rien. Et la fille du café de la Régence, tu oses la regarder?

MARIUS

Quelle fille?

FANNY

Avec ça que tu ne la connais pas! Elle passe i  devant
deux fois par jour pour te faire un coup d'œil! Si tu crois
qu'on ne le voit pas!

MARIUS

La grande blonde? Je ne lui ai jamais parlé!

FANNY

Alors, c'est que tu n'es pas capable de te déclarer à une
fille, même si elle vient te tourner autour…

MARIUS

Ça, tu n'en sais rien!

FANNY

Tu es timide, je le vois bien! Si une fille venait t'embrasser, tu tomberais évanoui!

MARIUS

Je ne me suis pas évanoui quand tu m'as embrassé!

FANNY

Moi? Je t'ai embrassé?

MARIUS

Oui.

FANNY

Quand?

MARIUS

Il y a longtemps. Un soir que nous jouions aux cachettes sur le port. J'avais bien quinze ans, et toi, onze ou douze.

FANNY

Je ne me rappelle pas.

MARIUS

Nous étions derrière des sacs de café et, tout d'un coup, tu m'as embrassé là.

Il montre sa tempe.

FANNY

Moi?

MARIUS

Oui, toi. Et pas qu'une fois. Un autre jour, aussi, sur le quai de Rive-Neuve... Tu l'as vraiment oublié?

FANNY

Tu sais, quand on joue aux cachettes, c'est toujours un peu pour embrasser les garçons.

MARIUS

Ah!... Tu en as embrassé d'autres?

FANNY

Oui, peut-être!

MARIUS

Qui?

FANNY

Victor, Mathieu, Louis... Tous ceux qui jouaient avec nous.

MARIUS

Tiens, tiens...

FANNY

Et toi, tu n'embrassais pas les autres filles?

MARIUS

Je ne me souviens pas.

FANNY

Je me souviens très bien que tu avais fait une caresse à Césarine, et qu'elle t'avait donné des poux.

MARIUS

Et un autre jour, tu l'avais giflée, parce qu'elle se cachait avec moi dans la cave.

FANNY

Oh! pauvre! Je m'en moquais bien qu'elle se cache avec toi! Qu'est-ce que tu vas imaginer?

MARIUS

Oh!... Je te dis ça pour parler.

FANNY

Tu serais bien aimable de ne pas faire des plaisanteries de ce genre. Surtout maintenant.

MARIUS

Pourquoi " maintenant "?

FANNY, mystérieuse.

Parce que.

MARIUS

Qu'y a-t-il de changé?

FANNY, même jeu.

Des choses.

MARIUS

Quelles choses?

FANNY, elle feint de se décider.

Écoute, si tu me promettais de ne le dire à personne...

MARIUS

Tu sais bien que tu peux avoir confiance!

FANNY

On dit ça, et après on répète tout pour le plaisir de parler.

MARIUS, impatient.

Si tu ne veux pas me le dire, je ne te force pas.

FANNY

Écoute, je crois que je vais me marier.

MARIUS

Toi?

FANNY

Oui.

MARIUS

Avec qui?

FANNY

Personne ne le sait encore, mais à toi, je vais te dire, parce que tu vas me donner un conseil.

MARIUS

Bon. Avec qui?

FANNY

Je ne suis pas malheureuse, et les coquillages, je ne m'en plains pas. Mais j'aimerais mieux faire un travail où on a des employés.

MARIUS

Tu es pratique, toi.

FANNY

J'ai dix-huit ans. C'est le meilleur moment pour choisir, parce que je ne serai jamais plus jolie que maintenant... Et il me semble que si l'occasion se présente... il ne faut pas la laisser échapper.

MARIUS, nerveux.

Et... l'occasion s'est présentée?

FANNY

Oui.

MARIUS

Qui?

FANNY

Il m'a demandée à ma mère...

MARIUS

Qui?

FANNY

Je ne sais pas si je fais bien de te le dire.

MARIUS, exaspéré.

Si tu ne veux pas le dire, garde-toi-le.

FANNY

Tu le sauras bientôt, vaï.

MARIUS

Oh! je le sais déjà. C'est le petit Victor. Il y a assez long-temps que ça se comprend.

FANNY

Et toi, tu l'as compris?

MARIUS

Tout le monde l'a vu. Il venait te parler tous les soirs, sous prétexte de manger des coquillages... Il en a mangé telle-ment qu'il a failli mourir de l'urticaire.

FANNY

Qu'est-ce que ça prouve?

MARIUS

Ça prouve que c'est un imbécile. Et puis, si tu comptes sur le magasin, son père n'est pas encore mort, tu sais.

FANNY

Oh! je n'attends après la mort de personne, et je me moque bien de Victor!

MARIUS

Alors, qui c'est?

FANNY

Panisse.

MARIUS, incrédule.

Panisse? Le père Panisse?

FANNY

Oui, Monsieur Panisse. Depuis quelque temps je le
voyais venir... Et puis, dimanche dernier, il nous a menées
au cabanon, moi et ma mère.

MARIUS

Je le sais, il y avait ta mère!

FANNY

Oui. Et pendant qu'elle faisait la bouillabaisse, nous
sommes allés nous promener sur les rochers. Et tout d'un
coup, il enlève son chapeau et il se met à genoux.

MARIUS, goguenard.

Le père Panisse? Ha!

FANNY

Et il me dit qu'il m'aime, que je suis la plus jolie de tout
Marseille, et qu'il me veut. Et puis il se relève, et il essaie
de m'embrasser.

MARIUS, goguenard.

Il essaie de t'embrasser. Et alors?

FANNY

Alors, je lui donne une gifle, parce que c'était le plus
sûr moyen qu'il me demande à ma mère. Et ce matin, il
m'a demandée. Voilà.

MARIUS

Eh bien, ma fille, tu es une belle menteuse.

FANNY

Tu ne le crois pas?

MARIUS

Non!

FANNY

Pourquoi?

MARIUS

Parce qu'il veut ta mère, je le sais! J'ai vu la robe d'Honorine, tout à l'heure. Et j'ai vu comment elle lui parlait...

FANNY

Bon.

MARIUS

Tu as beau dire " bon " tu ne me feras pas croire que tu as pensé une seconde à épouser Panisse.

FANNY

Bon! Alors, tu ne veux pas me donner un conseil?

MARIUS

Oui. Je te conseille, quand tu voudras me faire marcher, de chercher une histoire moins bête que celle-là...

FANNY

Bon.

MARIUS

Allons! Un homme qui a les yeux plissés comme le côté d'un soufflet...

FANNY

Tais-toi, le voilà.

Panisse paraît sur la porte, guilleret.

## Scène X

### FANNY, MARIUS, PANISSE

PANISSE

Eh bien, ma jolie, tu te reposes?

FANNY

Je reste un peu au frais en attendant les clients.

PANISSE

Tu as bien raison.

Il déclame.

> *Le soleil est le dieu du jour*
> *Mais cachez-lui ce frais visage.*
> *Car il pourrait brûler, dans son ardeur sauvage,*
> *Les douces roses de l'amour!*

MARIUS

Hé! Hé! Panisse, c'est bien envoyé, ça!

PANISSE

C'est ma spécialité, mon cher. Filer le madrigal. Les dames en sont friandes... et il n'y a rien de tel que quatre petits vers.

FANNY

C'est vous qui les avez faits?

PANISSE

Je te dirais oui si j'étais menteur et si je n'étais pas certain que tu les verras sur un pot de pommade dans la vitrine du bureau de tabac qui fait le coin de la rue Victor-Gelu. D'ailleurs, le plus grand mérite d'une poésie, c'est d'être bien placée dans la conversation. Marius, deux anisettes.

FANNY

Il y en a une pour moi?

PANISSE

Et pour qui serait-elle? Viens un peu t'asseoir ici. Viens! (Ils vont s'asseoir assez loin du comptoir, sur la banquette. Panisse parle en baissant le ton pendant que Marius prépare la bouteille et les verres.) Je viens de parler à ta mère. Elle est en train de regarder ma comptabilité. Et je crois que nous serons d'accord si tu dis oui.

FANNY

Je vous ai demandé quelques jours.

PANISSE

Et tu as bien fait... Il n'est pas mauvais de faire attendre une réponse : ton oui me fera plus plaisir encore.

Marius vient disposer les verres et les remplir.

FANNY, elle parle pour que Marius entende.

Dites, Panisse, combien que c'est que vous en avez, d'ouvrières?

PANISSE

Vingt-trois, et j'en cherche trois autres, parce que j'ai une commande importante pour la *Malaisie*. Un trois-mâts. J'irai cet après-midi pour vérifier les mesures. (A Marius.) Hé! petit, remplis bien les verres.

MARIUS

Ils sont pleins!

FANNY

Oh! menteur!

PANISSE

Tu comptes ça deux francs vingt-cinq, et il y manque
au moins les centimes.

MARIUS

Tenez, tenez...

> Il achève de remplir les verres et fait déborder l'anisette dans les
> soucoupes.

PANISSE

Fais attention, tu verses à côté!

FANNY

Il est un peu fatigué, aujourd'hui.

> Marius ne dit rien. Il rebouche sa bouteille et retourne au comptoir.
> Pendant les répliques suivantes, Panisse prend son verre d'une
> main, sa soucoupe de l'autre et boit la liqueur que Marius a répandue
> dans la soucoupe.

PANISSE, très gentleman.

Vraiment, ce ne sont pas des manières. (Il a bourré sa pipe
et il fouille ses poches depuis un moment.) Coquin de sort! J'ai
oublié mes allumettes!

FANNY

Attendez!

> Elle prend le pyrophore sur la table voisine. Elle allume l'allumette
> et la tient elle-même au-dessus du fourneau de la pipe. Marius
> qui n'a pas perdu un mot de la conversation, regarde ce tableau
> avec une inquiétude grandissante.

PANISSE

C'est gentil, ce que tu viens de faire. Une allumette tenue
par une aussi jolie main.

FANNY

Oh! Panisse, ne dites pas que j'ai de jolies mains!

PANISSE

Elles sont petites comme tout! (Il lui prend la main et la regarde.) Elles sont fines, elles sont chaudes... Et tu as une bien belle bague...

FANNY

Elle vous plaît?

PANISSE

Elle fait très bien. Elle est en or?

FANNY

Je ne sais pas. Je l'ai trouvée dans une pochette surprise.

PANISSE

Alors, elle est en cuivre!

FANNY

Tant pis!

PANISSE

Tu n'as jamais eu une bague en or?

FANNY

Non.

PANISSE

Et ton collier, il est en or?

FANNY

Oh! mon collier, oui. C'est ma tante Zoé qui me l'a donné pour ma communion.

PANISSE

Il est joli... (Il prend le collier du bout de ses gros doigts et se

rapproche peu à peu, sous prétexte de l'examiner.) Il est très joli...
Il y a une médaille au bout?

Il touche légèrement la peau de Fanny pour faire sortir la médaille
qui est entre les seins.

FANNY, elle recule.

Oui... Attendez... Je vais la sortir.

Panisse prend la médaille et se penche pour lire.

PANISSE

Qu'est-ce qu'il y a d'écrit?

FANNY

C'est ma date de naissance.

Panisse se penche, respire fortement. Marius s'agite de plus en plus
et soudain tousse très fort.

MARIUS

Hum! Ahum! Humhum! (Panisse ne l'a pas entendu. Il est
perdu dans sa contemplation oblique. Alors Marius, qui n'y tient plus, dit
brusquement.) Fanny! Ta mère te crie!

FANNY

J'ai pas entendu!

Panisse lève la tête. Il est tout rouge.

MARIUS

Je te dis que ta mère t'appelle. Ça fait trois fois.

FANNY

Tu as des rêves!

PANISSE

En tout cas, si elle a besoin de toi, elle sait où tu es.
(Marius se tait, fort agité. Il fait mille gestes incohérents pour changer de
place diverses bouteilles.) Parlons un peu sérieusement. Avec

ta mère, nous avons discuté des chiffres... Nous sommes
allés chez moi et puis...

> Il baisse la voix, parce que Marius écoute. On n'entend plus rien,
> Panisse et Fanny restent assis sans parler. De temps à autre, elle
> jette un regard sur Marius, pour voir les effets de son jeu. Marius
> se rapproche d'eux, sous prétexte d'essuyer la table voisine.

MARIUS, agressif.

C'est moi qui vous empêche de parler?

PANISSE

Non.

MARIUS

Vous parlez doucement et parce que je m'approche,
vous vous taisez.

FANNY

Peut-être que nous disons des choses personnelles.

MARIUS

Quand on ne veut pas parler devant le monde, c'est qu'on
dit des saletés.

FANNY

Des saletés, dis, grossier!

PANISSE, avec une grande noblesse.

Marius, fais un peu attention à qui tu t'adresses.

MARIUS

Je m'adresse à vous, et je vous dis que ça me fait mal
au cœur de vous voir.

PANISSE

Tu n'as qu'à tourner l'œil de l'autre côté.

MARIUS

Et puis, je n'aime pas qu'on me regarde d'un air sur deux airs!

PANISSE

Moi, je te regarde d'un air sur deux airs?

FANNY

Tu deviens fou, mon pauvre Marius!

PANISSE

Un pauvre fou!

MARIUS

Faites attention! Il y a des fous dangereux, et j'en connais un que la main lui démange de vous envoyer un pastisson!

FANNY

Marius!

PANISSE

A moi, un pastisson? (Avec une commisération infinie.) O pauvre petit!

MARIUS

Sortez un peu de la banquette, avancez-vous, si vous êtes un homme!

PANISSE

Si on te pressait le nez, il en sortirait du lait!

Fanny éclate de rire.

MARIUS, lui tend son nez.

Eh bien, essayez donc! Tenez, le voilà mon nez! Vous avez peur, hein?

Marius est penché sur Panisse et le regarde dans les yeux, à trois centimètres.

PANISSE, avec le calme qui précède les tempêtes.

Marius, fais bien attention. Tu ne me connais pas!

MARIUS

Eh bien, faites-vous connaître... C'est le moment! Malheureux!

PANISSE, il se lève brusquement.

Malheureux! C'est à moi que tu dis malheureux?

FANNY, se soulève et retient Panisse.

Panisse.

PANISSE

Laisse. C'est une affaire entre hommes... Tiens-moi le chapeau. (Il donne son chapeau à Fanny. Il s'approche de Marius jusqu'à le toucher. Tous deux se regardent sous le nez.) Donne-le un peu ton pastisson.

MARIUS

Pressez-le-moi un peu le nez!

PANISSE

Pauvre petit!

MARIUS

Malheureux!

PANISSE, avec plus de force.

Pauvre petit!

MARIUS, de même.

Commerçant!

PANISSE

Tu parles, tu parles, mais tu n'oses pas commencer!

MARIUS

Vous faites beaucoup de menaces, mais rien d'autre!

PANISSE, avec une fureur soudaine.

Oh! si je ne me retenais pas!

MARIUS

Ah! si vous n'aviez pas de cheveux gris!

### PANISSE

Tu veux peut-être que je me les arrache pour te faire plaisir? (A ce moment, une voix à la cantonade appelle : " Panisse! " Sans bouger, les yeux toujours fixés sur ceux de Marius, Panisse, d'une voix de tonnerre, répond.) Voueï!

### LA VOIX

Il y a du monde au magasin!

### PANISSE

Je suis occupé! (Il quitte son attitude belliqueuse. Il remonte son pantalon à deux mains, et dit simplement.) Tu as de la chance! (Il recule d'un pas.) Fanny, je te quitte, puisque mes affaires l'exigent. Est-ce que tu me feras le plaisir de venir goûter chez moi, tout à l'heure?

### FANNY

Pourquoi pas ici?

### PANISSE

Parce que je refuserai, désormais, de mettre le pied dans cette maison, où les gens ne savent pas se tenir à leur place.

### MARIUS

Vous avez beau prendre l'accent parisien, ça ne m'impressionne pas.

### PANISSE, comme s'il n'avait pas entendu.

Alors, Fanny, à tout à l'heure, je t'attends là-bas. (A Marius.) Deux anisettes à deux francs vingt-cinq font quatre francs cinquante. Tenez : gardez tout, garçon.

Et il sort, laissant Marius pétrifié. Fanny sourit. Un temps de silence assez lourd.

## Scène XI

### FANNY, MARIUS

#### FANNY

Marius, tu n'es pas gentil de faire tant de bruit pour des choses qui ne te regardent pas.

#### MARIUS

Et puis je t'apprendrai qu'ici c'est un bar, ce n'est pas une maison de rendez-vous.

#### FANNY

Dis donc, sois un peu poli avec moi, au moins.

#### MARIUS

Tu ne le mérites pas.

#### FANNY

Pourquoi?

#### MARIUS

Ah! si je ne l'avais pas vu, je ne l'aurais jamais cru. C'est honteux ce que tu fais avec ce pauvre vieux.

#### FANNY

Quel pauvre vieux?

MARIUS

Tu ne vois pas que tu risques de le tuer? Du temps qu'il regardait dans ton corsage, il soufflait, il suait, il était rouge comme un gratte-cul.

FANNY

Tu étais bien plus rouge que lui. Et puis, j'ai un soutien-gorge. Et puis ça ne te regarde pas.

MARIUS

Au fond, tu as bien raison, et j'ai bien tort de m'en mêler. J'ai d'autres soucis en tête, heureusement. (Il est retourné au comptoir, il rince deux ou trois verres.) Seulement, ça me fait de la peine de voir que tu es en train de devenir comme ta tante Zoé.

FANNY

Je n'ai pas le droit de me marier?

MARIUS

Non, tu n'as pas le droit d'épouser un veuf qui a soixante ans.

FANNY

Pourquoi? Tu sais qu'il a beaucoup d'argent, Panisse. Il va me faire une dot, j'aurai une bonne...

MARIUS

Dis-moi tout de suite que tu te vends.

FANNY

Pourquoi pas?

MARIUS

Fanny, si tu faisais ça, tu serais la dernière des dernières.

FANNY

Quand on a une bonne, elle est encore plus dernière que vous.

MARIUS

Mais ce n'est pas possible, voyons... Fanny, est-ce que tu as pensé à tout?

FANNY

Comment, à tout?

MARIUS

Tu sais bien que quand on se marie, il ne suffit pas d'aller à la mairie, puis à l'église.

FANNY

On commence par là.

MARIUS

Et après?

FANNY

Après, il y aura un grand dîner chez Basso.

MARIUS

Oui, mais après? Quand tu seras seule avec lui?

FANNY

Je verrai bien!

MARIUS

Il faudra que tu te laisses embrasser...

FANNY

Tant pis!

MARIUS

Il t'embrassera sur la bouche, et puis sur l'épaule...

FANNY

Tais-toi, Marius. Ne me parle pas de ces choses...


MARIUS

Il faut en parler maintenant, parce qu'après ce sera trop tard... Fanny, pense aux choses que je ne peux pas te dire... Il va te serrer dans ses bras, ce dégoûtant, ce voyou! (Il court à la porte et crie.) O saligaud! (Une vieille dame qui passait reçoit le mot en pleine figure. Elle pirouette et disparaît. Fanny rit joyeusement.) Oh! je sais bien pourquoi tu ris, va. Mais ce n'est pas vrai.

FANNY

Qu'est-ce qui n'est pas vrai?


MARIUS

Tu t'imagines que je suis jaloux, n'est-ce pas?


FANNY

Oh! voyons, Marius... Pour être jaloux, il faut être amoureux.

MARIUS

Justement, et je ne suis pas amoureux de toi.


FANNY

Je le sais bien.

MARIUS

Ce n'est pas parce qu'on a joué aux cachettes qu'on est amoureux.

FANNY

Mais bien sûr, voyons!

MARIUS

Remarque bien, je ne veux pas dire que je te déteste,
non, ce n'est pas ça. Au contraire, j'ai beaucoup d'affection pour toi. Je viens de t'en donner la preuve. Mais de
l'amour? Non. Oh! naturellement, si j'avais voulu, moi
aussi, j'aurais pu t'aimer... Jolie comme tu es, ça n'aurait
pas été difficile. Mais je n'ai pas voulu. Parce que je savais
que je ne pourrais pas me marier. Ni avec toi, ni avec personne.

FANNY

Tu veux te faire moine?

MARIUS

Non, mais je ne peux pas me marier.

FANNY

Pourquoi dis-tu une bêtise pareille?

MARIUS

Oh! ce n'est pas une bêtise! C'est la vérité... (Entre Piquoiseau.
Il lui parle bas à l'oreille.) Tout de suite?

Piquoiseau dit oui de la tête et va s'asseoir à sa place habituelle.

MARIUS

Fanny, veux-tu garder le bar quelques minutes?

FANNY, nerveuse.

Et s'il vient des clients?

MARIUS

Tu les serviras...

### FANNY

Je ne sais pas les prix.

### MARIUS

Tu as un tarif... Tu t'arrangeras à peu près...

### FANNY

Bon. Mais tâche de revenir avant 4 heures, parce que tu sais que je vais goûter chez Panisse!...

### MARIUS

Bon... Je serai de retour dans vingt minutes...

Il sort en hâte. Fanny reste songeuse. Brusquement, la sirène siffle : les ouvriers qui dormaient au soleil se lèvent et s'en vont, la veste pendue à l'épaule. On entend au loin les coups de marteaux des démolisseurs de navires. Le rideau descend.

# ACTE II

*Le petit bar.*
*Il est 9 heures et demie du soir.*

## Scène première

## CÉSAR, FANNY, LE CHAUFFEUR

César est à la caisse et il compte la recette de la journée. Il a fait de petits rouleaux avec des pièces de 1 et 2 francs, il épingle les billets par liasse et il recolle ceux qui sont en loques. Fanny qui est en train de rentrer ses bourriches, paraît triste. Assis tout seul devant une petite table, le chauffeur du ferry-boat déguste un bock et fume un ninas. Il a mis un complet très clair, avec des souliers vernis. Sa figure est presque propre. Après chaque gorgée de bière, il aspire fortement en avançant la lèvre inférieure, comme les gens qui sucent leur moustache. Il regarde Fanny avec une intensité effrayante.

### CÉSAR

Dis, gommeux, tu n'as pas vu sortir Marius?

### LE CHAUFFEUR

Non, je l'ai pas vu.

On frappe à la vitre, c'est un client de la terrasse.

### CÉSAR, derrière le comptoir.

On y va! (Cependant, il ne se dérange pas et continue à coller. Au bout d'une minute, on frappe de nouveau.) Qu'il est pressé, celui-là! (Il se lève.) Il faut tout de même y aller.

Il sort. A droite, on voit le pan d'un burnous et une jambe maigre que termine un pied noir dans une babouche. C'est un Sidi qui boit à la terrasse et que l'on voit de dos.

LE SIDI

*Oyayai! qué triste année,*
*Tous les hommes mobilisés*
*Sont partis li Dardanelles,*
*Ils ont laissé li mademoiselles!*

UN CHŒUR

*Oy Oy Tina melo,*
*Hadj Guilloum ci tun salo!*

UN AUTRE SIDI

*Avec zin sous di cacahouètes,*
*Hadj Guilloum il fait la fête.*
*Ay ay ay qu'il est zouli*
*Lé paillasson dé nouit!*

Alors un chœur d'Arabes invisibles reprend sur le même rythme, en s'accompagnant sur des tam-tams.

*Ay ay ay qu'il est zouli*
*Lé paillasson dé nouit!*

Ici le couplet en arabe.
A ce moment, César revient de l'autre côté de la terrasse. Il s'adresse au Sidi. Les Arabes se lèvent.

CÉSAR

Eh, dis donc, Ben Tartouf, vous n'allez pas encore partir? Il est 10 heures! Ça fait 7 fr. 50.

LE SIDI

Voilà 7 fr. 50. Ti peux pas santer avec moi?

CÉSAR

Je ne sais pas ce que vous chantez.

LE SIDI

C'est la chanson de Hadj Guilloum, l'empereur dis Ale-
mans... Celui qui s'est mis quelque chose pointu sur son
chapeau pour se donner des coups de tête avec nous autres...

Ils se sont levés.

> *Avec zin sous di cacahouètes,*
> *Hadj Guilloum il fait la fête...*

Ha! ha! ha!

Ils s'en vont en riant, comme des enfants, et on les entend chanter
tandis qu'ils s'éloignent. A l'autre bout de la terrasse, un client
frappe avec une pièce de monnaie sur le guéridon de fer.

CÉSAR

On y va!

Il passe à gauche, au-dehors. Fanny s'approche du chauffeur, qui
rougit fortement.

FANNY, au chauffeur qui est devant le comptoir.

Dis donc, est-ce que tu connais cet homme qui est venu
chercher Marius tout à l'heure?

LE CHAUFFEUR, tout rouge.

Peut-être je l'aurais connu si je l'aurais vu.

FANNY

Il est grand, la figure basanée, tout rasé. Tu ne l'as jamais
vu avec Marius?

LE CHAUFFEUR

Non, et je le regrette bien. Ah! oui, je le regrette bien.

#### FANNY

Pourquoi?

#### LE CHAUFFEUR, navré.

Parce que vous ne me parlez pas souvent, et pour une fois que ça m'arrive, je ne sais pas quoi vous répondre.

#### FANNY

Tu es amoureux de moi? (Le chauffeur avale sa salive et devient rouge comme une pivoine.) Eh bien, tu perds ton temps.

Elle remonte vers son éventaire.

#### LE CHAUFFEUR

Ah! je le sais bien, et c'est ça le plus triste.

#### FANNY

Tu as quatorze ans.

#### LE CHAUFFEUR, il montre ses pantalons longs.

Quatorze ans! Oh! pardon, j'en ai dix-sept et je suis dans la force de l'âge.

Fanny hausse les épaules et lui tourne le dos. Elle regarde l'heure, puis elle s'en va fermer son éventaire. César rentre, il porte au bout de chaque main une grappe de verres.

CÉSAR, rentre par la baie et va derrière son comptoir. Au chauffeur.

Dis donc, Frisepoulet, Panisse est là-bas devant sa porte, qui fume la pipe. Cours vite lui dire que je l'attends pour boire une bouteille de mousseux.

Le chauffeur réfléchit fortement, puis il regarde César en faisant la moue et en secouant la tête.

LE CHAUFFEUR, convaincu.

C'est loin.

CÉSAR

Qué, c'est loin? Il y a quinze mètres.

LE CHAUFFEUR

Qu'est-ce que vous me donnez si j'y vais?

CÉSAR

Je te donnerai un bon chicoulon de mousseux.

LE CHAUFFEUR

Alors, j'y vais. (Il se lève, va jusque devant la porte et appelle.) Panisse! O Panisse! M. César vous offre le champagne!

CÉSAR

O marrias, tais-toi, que tu vas faire venir tous les soiffeurs du quartier! (Il cache la bouteille sous la table.) Tu es si bête que ça? On ne les dit jamais, ces choses-là!

Le ravi passe la tête. César lui lance un jet de siphon. Le ravi s'enfuit.

LE CHAUFFEUR

Il vient.

Un temps. César reprend la bouteille et la débarrasse de ses fils de fer. Le chauffeur prépare trois verres. Entre Panisse, par la baie venant de coulisse premier plan jardin. Il est toujours en manches de chemise, la pipe à la bouche. Mais il a des souliers extraordinaires, longs et pointus comme des aiguilles.

## Scène II

CÉSAR, LE CHAUFFEUR, PANISSE puis L'AGENT

CÉSAR, il garde sa main sur le bouchon de la bouteille.

O Panisse, que tu te fais rare! On ne t'a pas vu depuis hier.

PANISSE, très digne.

Puisque tu m'invites, je viens; il serait bien mal poli de te refuser un verre de mousseux.

CÉSAR

Je comprends.

PANISSE

Mais j'avais juré de ne plus remettre les pieds chez toi, et c'est une promesse que je tiendrai.

CÉSAR

Et pourquoi tu ne veux plus remettre les pieds chez moi?

PANISSE

Parce que ton fils est un grossier.

CÉSAR

Mon fils est un grossier?

PANISSE

Un véritable grossier.

CÉSAR

Ah! vouatt!

PANISSE

Il n'y a pas de vouatt! Et la première fois que je le rencontre, ça sera un coup de pied au derrière.

CÉSAR

Ah! vouatt!

PANISSE

Et tu peux remarquer que je ne porte plus les espadrilles. Aujourd'hui, j'ai mis les souliers.

*Il exhibe les souliers. Cette menace précise met César hors de lui-même.*

CÉSAR

Et c'est à moi que tu viens dire ça?

PANISSE, *faiblement.*

C'est à toi.

LE CHAUFFEUR, *il veut se mettre entre eux.*

Ayayaïe!

CÉSAR, *il repousse le chauffeur du côté gauche.*

Panisse, si seulement tu touches mon petit, moi je te fous un coup de pied dans le derrière qui te fera claquer des dents!

PANISSE

C'est à voir...

LE CHAUFFEUR, *même jeu.*

Ayayaïe!

CÉSAR, *il repousse le chauffeur, menaçant.*

Non, c'est tout vu. Si seulement tu lèves la main sur Marius, tu le regretteras six mois à l'hôpital!

MARCEL PAGNOL. MARIUS. 4

PANISSE, hésitant.

César, tu ne me fais pas peur.

LE CHAUFFEUR, même jeu, il se met au milieu.

Ayayaïe! Ayayaïe!

CÉSAR, il repousse le chauffeur.

Si tu frôles un cheveu de sa tête, ce n'est pas à l'hôpital que tu te réveilles : c'est au cimetière!

PANISSE, faible et vacillant.

Tu sais, j'en ai assommé de plus grands que toi!

CÉSAR, les yeux au ciel.

Bonne mère, c'est un meurtre, mais c'est lui qui l'a voulu! (Le chauffeur passe à droite du comptoir, puis derrière le comptoir et s'arrête à gauche. César se précipite. Le chauffeur s'est mis entre eux. César, les mains largement ouvertes, sort par la gauche du comptoir, il s'avance vers Panisse pour l'étrangler. Solennel.) Adieu Panisse!

PANISSE, il flageole et, d'une voix résignée.

Adieu, César! (Il tombe sur la première chaise à droite. César l'étrangle. Le chauffeur a bondi jusqu'à la porte et regarde le combat, épouvanté. Soudain, une détonation retentit. Le chauffeur disparaît dans la rue. C'est le bouchon du mousseux qui vient de sauter. Panisse râle.) Le mousseux... Le mousseux...

CÉSAR

O coquin de sort!

Il lâche Panisse et court derrière le comptoir chercher la bouteille de mousseux. César saisit la bouteille et la bouche avec la paume de sa main. Panisse, qui est remonté devant le comptoir, à droite, a pris les deux verres et les lui tend. César les remplit. Puis il en prend un et boit. Panisse fait de même. Un temps.

PANISSE, très naturel.

Il n'est pas assez frais.

CÉSAR

C'est vrai, il n'est pas assez frais. Je vais en mettre une bouteille dans le puits pour demain.

PANISSE, il tend de nouveau son verre.

Mais quand même, il n'est pas mauvais...

César remplit le verre de Panisse. A ce moment, reparaît le chauffeur. Il n'ose pas entrer, il reste au milieu du trottoir et il désigne le bar à quelqu'un qu'on ne voit pas.

LE CHAUFFEUR

C'est là!

Entre un agent de police.

L'AGENT

Où est-ce donc?

CÉSAR

Quoi! Qu'est-ce que vous cherchez?

L'AGENT

La bagarre.

PANISSE

Quelle bagarre?

LE CHAUFFEUR, qui se rapproche et descend.

Je croyais que vous vous battiez?

CÉSAR

Qué, battiez? Nous parlions!

PANISSE

Ça te regarde, ce que nous disions, petit galapiat?

CÉSAR

Té, Panisse, rends-moi service. Toi que tu as les souliers pointus, donnes-y un coup de pied au cul.

PANISSE, au milieu de la scène fait signe au chauffeur d'approcher.

Approche-toi un peu, pour voir!

LE CHAUFFEUR, qui bat en retraite derrière la table de gauche, puis prend
son verre et remonte derrière l'agent.

Et le mousseux, alors?

CÉSAR

Le mousseux n'est pas pour les vipères. Cours te noyer, va!

LE CHAUFFEUR, dégoûté, repose son verre sur la table de gauche.

Té, je vous séparerai plus, et j'irai plus faire vos com-
missions.

Il s'enfuit par la baie.

L'AGENT

Il est venu me dire qu'il avait entendu un coup de feu!

CÉSAR

Qué coup de feu? C'est le bouchon du mousseux qui
a pété!

L'AGENT, lorgne la bouteille.

Ah! fort bien! Ce doit être un grand vin, pour que son
explosion puisse prêter à confusion avec la déflagration d'une
détonation. Il a l'air gaillard!

CÉSAR

Je comprends qu'il est gaillard! Dites, vous n'en boirez
pas souvent comme celui-là. (Il a rempli un verre. L'Agent tend
la main.) Vous n'en boirez même peut-être jamais.

Il a pris le verre et le boit.

L'AGENT, il lorgne toujours la bouteille.

En somme, il ne me reste plus qu'à me retirer?

CÉSAR

Bien sûr!

L'AGENT

Bon. Bon. Bon. (Il sort, vexé.)

CÉSAR

Tu crois pas, cette petite crapule de chauffeur qui va chercher les gendarmes! (Ils boivent de nouveau. D'une voix très conciliante.) Dis, Panisse, si tu rencontres Marius, ne le lui donne pas, ce coup de pied.

PANISSE, affectueux.

Tu le sais bien, que je ne le donnerai pas. Ce que j'en disais c'était question d'amour-propre... A la tienne.

Ils boivent.

CÉSAR

Dis, maintenant, soyons sérieux. Qu'est-ce qu'il t'a fait, le petit?

PANISSE

Il m'a provoqué, il m'a reproché d'avoir les cheveux gris, comme si c'était de ma faute!

CÉSAR

Mais toi, tu lui avais dit quelque chose?

PANISSE

Rien du tout.

CÉSAR

Voyons, si tu ne lui avais pas cherché dispute, il se serait tenu tranquille!

PANISSE

Et pourquoi je lui aurais cherché dispute? Je me connais, César, j'ai appris à me méfier de mon caractère — et c'est pour cela que je ne suis pas homme à commencer une querelle qui peut finir par un massacre. Je t'affirme que je ne lui disais rien, absolument rien. Je ne le regardais même pas, et il s'est jeté sur moi.

CÉSAR

Ça, tout de même, c'est un peu fort!

PANISSE

Et il a fait un geste comme pour m'étrangler!

CÉSAR, désespéré.

S'il s'amuse à étrangler la clientèle maintenant!... Oh!... il n'y a pas à dire, cet enfant a quelque chose.

PANISSE

Et quoi?

CÉSAR, vient au milieu de la scène.

Je me le demande. Tu n'as rien remarqué, toi?

PANISSE

Si, j'ai remarqué qu'il a voulu m'étrangler.

CÉSAR

Mais à part ça, tu n'as rien vu?

PANISSE

Non, je n'ai rien vu, mais, je suis de ton avis : Il a beaucoup changé, ton fils. Il est tout drôle, tout chose...

CÉSAR

Et pour quelle raison?

PANISSE

Oui, pour quelle raison? (Un temps.) Peut-être qu'il fume de l'opion.

CÉSAR

De l'opion?

PANISSE

Eh oui, comme les Chinois, avec un bambou. Ça vous fait devenir fada.

CÉSAR

Oh! mais dis donc, tu as vite fait, toi, de déshonorer les familles! De l'opion!

PANISSE

Remarque, c'est toi qui me demande mon idée : je cherche, j'étudie...

CÉSAR

Eh bien! moi, je crois que c'est bien plus simple, et bien plus naturel : (A mi-voix.) Tu ne saurais pas, par exemple, s'il a une maîtresse?

PANISSE

Ça, je ne sais pas.

CÉSAR

Eh bien, moi, je sens une femme là-dessous, parce qu'il n'y a que l'amour qui puisse rendre un homme aussi bête.

PANISSE, s'assied.

Tu ne crois pas, par exemple, qu'il soit amoureux de Fanny?

CÉSAR

Oh! non. Ils se connaissent depuis trop longtemps.

PANISSE

Je te dis ça parce qu'au moment où il s'est rué sur moi, j'étais là, assis à côté de Fanny.

*Il désigne la banquette de droite.*

CÉSAR

Je ne vois pas le rapport.

PANISSE

Il a eu peut-être l'idée que je lui faisais la cour.

CÉSAR

Toi? (Il rit.) Il est fou, mais pas au point d'être jaloux d'un homme de ton âge.

PANISSE, vexé.

Qui sait?

CÉSAR

Allons, je te parle sérieusement. Non, il ne s'agit pas de Fanny. Pour moi, il doit connaître en ville une femme qui le fait souffrir, et (Tragique.) j'ai peur que ce soit la femme d'Escartefigue.

PANISSE

Oh! elle en a rendu heureux plus de cinquante, elle ne ferait pas souffrir le fils d'un ami.

CÉSAR

Alors, qui est-ce?

PANISSE

Tu devrais interroger Marius.

CÉSAR

Oh! c'est bien ce que je vais faire à la fin. Jusqu'ici, je n'ai pas osé. Marius, quoiqu'il ait vingt-trois ans, je lui donnerais encore des taloches si c'était nécessaire. Mais je n'ose pas lui parler des femmes.

PANISSE

Pourquoi?

CÉSAR

Par un sentiment bien drôle. La pudeur.

PANISSE

Qué pudeur?

CÉSAR

La Pudeur Paternelle.

PANISSE

Tu as des sentiments bien distingués.

> Il se tient le pied gauche à deux mains et tire sur son soulier en faisant des grimaces.

CÉSAR, rêveur et digne.

Si tu étais père, tu serais aussi distingué que moi. (Panisse se lève, il souffre du pied gauche.) Qu'est-ce que tu as?

PANISSE, essaie de marcher.

La pointe me presse sur mon oignon. Je crois que je ferais mieux de les quitter...

CÉSAR, s'est approché de lui et se baisse pour examiner les chaussures de Panisse.

Oyayaïe! Coquin de sort, comme ils sont tendus!

PANISSE

C'est ceux de mon mariage.

CÉSAR, inquiet.

Je ne sais pas si tu vas pouvoir les enlever...

PANISSE

Oh! avec une paire de ciseaux, on peut toujours... Alors, sans rancune, qué?

CÉSAR

Mais, naturellement!

PANISSE, se dirige vers la baie en passant devant César.

Et ne te fais pas de mauvais sang pour ton fils. Ça lui passera.

CÉSAR

Je vais m'en occuper. A demain, ma vieille Panisse. Et ne fais pas de mauvais rêves.

PANISSE

Risque pas!

Il sort en riant et en boitant.

CÉSAR, sur le seuil de la baie.

Et ne va pas jouer au football avec ces souliers-là, surtout!

Tandis que César, sur la porte, regarde partir Panisse, 11 heures sonnent au clocher des Accoules. Au quatrième coup, chant des Arabes. Puis Honorine surgit dans la lumière de la terrasse.

## Scène III

CÉSAR, HONORINE, puis MARIUS

HONORINE

Bonsoir, César.

CÉSAR, finit de ranger sa caisse.

Bonsoir, Norine. C'est vous? A 11 heures du soir?

HONORINE

Eh! oui. C'est mercredi, aujourd'hui. Je vais à Aix, chez ma sœur Claudine, par le train de minuit... Alors, comme j'étais un peu en avance, je suis passée par ici parce que j'ai quelque chose à vous dire.

CÉSAR

Eh bien, dites-le, Norine.

HONORINE, gênée.

C'est que c'est pas facile.

CÉSAR

Pourquoi?

HONORINE

Je viens vous parler de Fanny.

CÉSAR

Me parler de Fanny?

HONORINE, mystérieuse.

De Fanny et de Marius.

CÉSAR, intéressé.

De Fanny et de Marius? Alors, asseyez-vous, Norine. Qu'est-ce que vous prenez?

HONORINE

Ce sera un mandarin-citron.

Elle va s'asseoir.

CÉSAR, il prépare deux verres.

Alors? Fanny et Marius? (Honorine hésite.) C'est si difficile à dire?

HONORINE, brusquement.

Enfin, bref, Panisse veut la petite.

CÉSAR

Pour quoi faire?

HONORINE

Pour l'épouser.

CÉSAR, stupéfait.

Comment! Panisse veut épouser Fanny?

HONORINE

Il me l'a demandée ce matin.

CÉSAR

Oh! le pauvre fada! Quelle mentalité! Mais il est fou, ce pauvre vieux?

HONORINE

C'est ce que j'y ai dit. Mais il veut une réponse pour demain.

CÉSAR

Et qu'est-ce qu'elle dit, la petite?

HONORINE

Elle dira peut-être oui, si elle ne peut pas avoir celui qu'elle veut.

CÉSAR, avec finesse.

Et... c'est Marius qu'elle veut?

HONORINE, gênée.

Tout juste.

CÉSAR

Ayayaïe! Je commence à comprendre le carnage d'hier après-midi.

HONORINE, elle se rapproche.

Figurez-vous que, tout à l'heure, je l'entends qui pleure dans sa chambre. Déjà, cette nuit, il m'avait semblé qu'elle reniflait beaucoup... Alors j'y vais sans faire de bruit et je la trouve allongée sur son lit. "Qu'est-ce que tu as?" Elle me fait : "J'ai la migraine. — Cette nuit aussi, tu avais la migraine? — Oui, cette nuit aussi. — Alors, il va falloir te mener au docteur. — Non, je ne veux pas aller au docteur." Et elle pleurait toujours. Alors, je lui dis : "Vé, ma petite Fanny, je suis ta mère, n'est-ce pas? Si tu ne le dis pas à moi, tu ne le diras à personne. Qu'est-ce que tu as? — J'ai rien." Alors, je l'embrasse, je la menace, je la gronde, je la supplie. Bon Dieu, qué patienço! Si j'avais fait ça à ma pauvre mère, d'un viremain, elle m'aurait mis la figure de l'autre côté.

CÉSAR, convaincu.

Ah! je comprends! Et alors?...

HONORINE

Et enfin, bref, à la fin des fins, elle me dit qu'elle aime Marius et qu'ils se sont parlé hier au soir.

CÉSAR

Très bien. Et qu'est-ce qu'il lui a dit?

HONORINE

Il ne veut pas qu'elle prenne Panisse.

CÉSAR

Bon. Mais lui, Marius, il lui a dit qu'il l'aimait?

HONORINE

A ce qu'il paraît qu'il le lui a fait comprendre.

CÉSAR, clin d'œil malicieux.

Ah! oui! Il l'a un peu embrassée?

HONORINE

Eh non! Il " le lui a fait comprendre ". Voilà ce qu'elle m'a dit.

CÉSAR

C'est bizarre. Il lui a fait comprendre sans l'embrasser?

HONORINE

A ce qu'il paraît.

CÉSAR

Enfin, elle vous a dit qu'ils se veulent tous les deux?

### HONORINE

Marius lui a dit qu'il ne pouvait pas l'épouser!

### CÉSAR

Pourquoi?

### HONORINE, explosion subite.

Il ne veut pas le dire! Ma petite lui a presque demandé sa main, à ce beau monsieur, et il ne répond pas, et il me la fait pleurer sans même dire pourquoi! Dites, César, qu'est-ce que c'est, des manières comme ça? Qu'est-ce qu'il lui faut, à ce petit mastroquet, une princesse?

### CÉSAR

Ne vous fâchez pas, Norine! Après tout, peut-être qu'il ne l'aime pas.

### HONORINE

Il ne l'aime pas? Il serait le seul à Marseille! Tous les hommes la regardent, et il n'y a què lui qui ne la verrait pas! Et puis, s'il ne l'aime pas, pourquoi est-il jaloux de Panisse?

### CÉSAR, après un temps de réflexion.

Tout ça n'est peut-être pas difficile à arranger.

### HONORINE, se lève.

Eh bien, tâchez de l'arranger vite, parce que si ma petite continue à pleurer la nuit, moi je fous le feu à votre baraque!

CÉSAR

Hé! doucement, Norine, doucement! Il la refuse. Eh bien, nous allons l'attendre ici, et puis nous lui demanderons pourquoi.

HONORINE

Ah! non! Pas devant moi!

CÉSAR

Pourquoi?

HONORINE

Je ne veux pas qu'il sache que je suis venue. Parce que, moi, je connais les hommes. Si on lui dit que c'est Fanny qui a demandé sa main, elle ne pourra plus jamais lui faire une observation, parce qu'il lui dira : " C'est toi qui m'as demandé, c'est ta mère qui est venue raconter que tu pleurais ", exétéra... exétéra... Il finira par la mépriser et ils seront très malheureux.

CÉSAR

Eh bien, je ne le lui dirai pas. Mais alors, elle, il ne faudra pas qu'elle lui parle de Panisse.

HONORINE

A quel propos?

CÉSAR

Parce que si vous connaissez les hommes, moi, je connais les femmes. Quand ils seront mariés, à la moindre dispute, elle lui dira : " Et dire que pour toi, j'ai refusé Panisse, un homme qui avait des cent mille francs! Maintenant, je serais riche, j'aurais la bonne et l'automobile ", exétéra...

exétéra... Et elle le fera mourir à coups de Panisse. Je connais le refrain, je l'ai entendu. Ma pauvre femme, elle, c'était un marchand de bestiaux qui l'avait demandée : elle m'en a parlé pendant vingt ans! Vingt ans! (Gravement.) Et pourtant, c'était une femme comme on n'en verra jamais plus.

HONORINE

Écoutez, ne lui dites rien, et je vous promets qu'elle ne parlera jamais de Panisse.

CÉSAR

Entendu.

HONORINE

On trinque?

CÉSAR

On trinque.

Ils trinquent avec une certaine gravité.

HONORINE

Alors, l'idée de ce mariage vous plaît, à vous?

CÉSAR

C'est à voir. (Il va à la porte, soupçonneux.) Attention que Marius ne vienne pas nous écouter. Si l'affaire se faisait, qu'est-ce que vous lui donneriez, vous, à la petite?

HONORINE

Je lui donnerais l'inventaire de coquillages. En le faisant tenir par une bonne commise, ça peut rapporter quarante francs par jour de bénéfices nets.

CÉSAR

Ce n'est pas beaucoup.

HONORINE, explosion.

Vous savez, il y en a qui seraient bien contents de la prendre sans rien! Nous ne sommes pas chez les nègres et elle n'est pas bossue pour que je lui achète un mari!

CÉSAR, violent.

Oh! mais, dites, si votre fille n'est pas bossue, moi, mon petit n'est pas boiteux! Et vous pouvez chercher sur tout le port de Marseille. Vous en trouverez peut-être des plus grands et des plus gros, mais des plus beaux, il n'y en a pas! Il n'y en a pas! Vous avez beau faire! Il n'y en a PAS! Et vous savez, ce n'est pas parce que c'est mon fils : moi, je vous parle impartialement. Il est beau, mon petit... C'est un beau petit...

HONORINE, sarcastique.

Alors, parce qu'il est beau, il lui faut la fille de Rochilde?

CÉSAR

Mais non! Il ne s'agit pas de Rochilde! Mais s'ils se marient et qu'ils aient des enfants tout de suite, il leur faut de l'argent!

HONORINE, attendrie.

Ah! s'ils ont des enfants je leur ferai une petite rente tant que j'aurai mon banc à la poissonnerie.

CÉSAR

Alors, comme ça, ça peut aller.

HONORINE

Et vous, qu'est-ce que vous lui donnez?

CÉSAR

Moi?... Il continuera à m'aider au bar en attendant que je me retire... Je les logerai ici... il y a de la place; et je lui donnerai quinze cents francs par mois.

HONORINE

Ah! non, César. Il faut que vous lui donniez un peu plus.

CÉSAR

Et qu'est-ce que vous voulez que je lui donne?

HONORINE

Il faut que vous lui donniez... (Marius paraît sur la porte. Honorine le voit. Elle change de ton et parle au hasard, comme si elle continuait une conversation.) Deux belles tranches de fiala et une rascasse de deux kilos qui remue encore la queue.

CÉSAR, stupéfait.

Que je lui donne une rascasse de deux kilos qui remue la queue?

HONORINE, elle cligne un œil désespérément.

Mais oui... Et puis, je vous mettrai des fioupelans, des favouilles et un peu de galinette...

CÉSAR, affolé, d'une voix blanche.

Dites, Norine... Ne buvez plus, Norine!

Il va lui prendre son verre.

HONORINE, à voix basse.

Marius...

CÉSAR, à haute voix.

Marius? (Il tourne la tête, il le voit.) Ah! oui, naturellement.
Des fioupelans, un peu de galinette, oui... Et même, vous
pouvez mettre une jolie langouste...

MARIUS, il paraît très agité, très content.

Tu commandes une bouillabaisse?

CÉSAR

Eh oui, une belle bouillabaisse. Tu arrives enfin!

MARIUS

J'étais allé faire un petit tour et je me suis mis en retard.

CÉSAR

Alors, Honorine, c'est entendu... Demain, nous nous
mettrons d'accord là-dessus...

HONORINE

Le plus tôt possible, parce que cette bouillabaisse-là,
ça n'attend pas... Allons, je vais prendre mon train. Au
revoir, César...

CÉSAR

Au revoir, Norine... A demain...

HONORINE

Bonsoir, Marius...

MARIUS

Bonsoir, Norine...

Elle sort. Un temps.

## Scène IV

## CÉSAR, MARIUS

CÉSAR

Et voilà.

Il bâille. Au-dehors, passent deux femmes avec des marins américains.

MARIUS

Et voilà. Tu ne vas pas te coucher?

CÉSAR

Pourquoi me dis-tu ça?

MARIUS

Parce que si tu ne dors jamais, tu finiras par te ruiner la santé.

CÉSAR

Merci, Marius. Tu es un bon fils. Je vais y aller. Il est 11 heures. Maintenant, tu peux fermer, parce que tu ne travailleras guère, et ton bénéfice serait pour la compagnie d'électricité.

MARIUS

Oui, je vais fermer.

Il commence à éteindre la terrasse. Puis il rentre les chaises pendant la scène suivante et les met à l'envers au bord des tables.

CÉSAR

Où es-tu allé, ce soir?

MARIUS

Une petite partie de billard à la brasserie suisse.

CÉSAR

Avec qui?

MARIUS

Des amis...

CÉSAR, avec calme.

Je suis persuadé que ce n'est pas vrai.

MARIUS

Comment? Ce n'est pas vrai?

CÉSAR

Non, ce n'est pas vrai. Tais-toi. N'en parlons plus. J'ai des choses plus sérieuses à te dire.

MARIUS

Quelles choses?

CÉSAR, se lève

Voilà. Un jour ou l'autre, tu finiras bien par te marier?

MARIUS

Moi? Pourquoi?

CÉSAR

Parce que c'est naturel, c'est normal. Dans un commerce, c'est nécessaire. Est-ce que tu es décidé à ne jamais prendre une femme?

MARIUS, va au comptoir.

Je n'y ai pas encore pensé.

CÉSAR, passe.

Eh bien, c'est peut-être le moment d'y penser.

MARIUS

Pourquoi?

CÉSAR

Parce que Panisse a demandé Fanny.

MARIUS

Je le sais. Mais je ne vois pas bien le rapport.

CÉSAR

Allons, ne fais pas la bête. Je sais très bien que tu es amoureux de Fanny.

MARIUS

Qui t'a dit ça?

CÉSAR

Mon petit doigt.

MARIUS

Ton petit doigt n'est pas malin.

CÉSAR

Oh! que si. Tu es amoureux de Fanny et la preuve, c'est qu'hier après-midi, tu t'es jeté sur Panisse comme une bête fauve, et que si on ne vous avait pas séparés, tu l'aurais étranglé. Mort... Mort. (Il regarde une seconde le cadavre de Panisse étendu devant le comptoir.)

MARIUS

Nous nous sommes simplement disputés à propos...

CÉSAR

A propos de quoi?

MARIUS

De je ne sais plus quoi.

CÉSAR

A propos de Fanny. Tu voulais supprimer un rival, voilà tout.

MARIUS

Allons donc!

CÉSAR

Tu n'as pas réfléchi que tu as une autre façon de le supprimer? Tu n'as qu'à demander la main de Fanny.

MARIUS

Tu crois qu'elle accepterait?

CÉSAR

Je le crois.

MARIUS

Tu en as parlé à sa mère?

CÉSAR

Mais non, mais non. Je ne parle jamais à sa mère! Qu'est-ce que tu vas imaginer! Mais je crois qu'elle dirait " oui ".

MARIUS

Peut-être, mais je n'y tiens pas.

CÉSAR

Pourquoi?

MARIUS

Parce que je n'ai pas envie de me marier. Je ne sais pas si je l'aime assez pour ça.

CÉSAR, calme.

Marius, tu es un menteur.

MARIUS

Pourquoi?

CÉSAR, avec violence.

Parce que tu mens. Tu mens! Tu aimes Fanny. Tu es fou de rage parce qu'un autre va te la prendre et tu refuses de l'épouser... Tu deviens insupportable, à la fin! Si tu es fou, dis-le franchement, je t'envoie à l'asile et on n'en parle plus. Si tu n'es pas fou, si tu as la moindre confiance en ton père, dis-moi ce qui se passe. Il y a une femme là-dessous, hein?

MARIUS

Eh bien... oui...

CÉSAR

Ha! ha! Nous y voilà. Ha! ha! je le savais bien... Oh! Je le savais bien! (Un temps.) Qui est-ce?

MARIUS, sans le regarder.

Ça me gêne de te parler de ces choses-là!

CÉSAR

Moi aussi, ça me gêne horriblement. Mais ça me gêne encore plus de te voir idiot, et je voudrais au moins savoir pourquoi! Qui est cette femme? Tu ne peux pas l'aimer, puisque tu aimes Fanny.

MARIUS, même jeu.

J'ai peut-être pitié d'elle.

CÉSAR

Et c'est la pitié qui te rend idiot?

MARIUS, tout en rinçant des verres.

Écoute, puisque tu y tiens, je vais te le dire : c'est une femme... que j'ai aimée... et qui m'aime beaucoup... Si je lui disais que je vais me marier, elle souffrirait.

CÉSAR, il hausse les épaules.

Oui, elle souffrirait.

MARIUS

Elle se suiciderait peut-être.

CÉSAR, il fait la grimace.

Oh! mauvais...

MARIUS

Et peut-être, elle me tirerait un coup de revolver.

CÉSAR

Oh! Affreux. Pas de ça. Pas de ça.

MARIUS

Alors, il faut me laisser du temps... pour la préparer à cette idée. Tu vois que... en somme, c'est très simple.

CÉSAR

C'est simple, oui, c'est simple. Je ne te demande plus de me dire son nom, puisque tu ne veux pas. Mais dis-moi que ce n'est pas Mme Escartefigue.

MARIUS

Non, ce n'est pas elle.

CÉSAR

Bon. C'est fini. Alors, pour Fanny, qu'est-ce que nous
aisons?

MARIUS

Attendons.

CÉSAR

Mais si elle accepte Panisse?

Il range la recette dans un sac.

MARIUS

Alors, tant pis.

CÉSAR, il bâille horriblement.

Tant pis. Tout de même, il faudra un peu reparler de
out ça demain matin. Donne-moi la caisse. Moi, je sens
ue je vais y réfléchir toute la nuit.

MARIUS

Tu bâilles beaucoup pour un homme qui va réfléchir...

CÉSAR

Bonsoir, petit.

MARIUS

Bonsoir, papa.

César est sur la porte, il va sortir. Marius le rappelle avec une certaine
timidité.

MARIUS

Papa!

CÉSAR

Oou?

MARIUS

Je t'aime bien, tu sais.

CÉSAR, ahuri.

Qu'est-ce que tu dis?

MARIUS

Je t'aime bien.

CÉSAR, un peu ému et choqué.

Mais moi aussi, je t'aime bien. Pourquoi me dis-tu ça?

MARIUS

Parce que je vois que tu t'occupes de moi, que tu te fais du souci pour moi. Et alors, ça me fait penser que je t'aime bien.

CÉSAR, très ému.

Mais bien sûr, grand imbécile!

MARIUS

Bonsoir, papa.

> Il va à lui, il lui tend son front. César l'embrasse gauchement. Puis il le regarde un instant et le prend aux épaules.

CÉSAR

Bonsoir, mon fils. (Un petit temps.) Tu sais, parfois, je te dis que tu m'empoisonnes l'existence, mais ce n'est pas vrai.

> Il disparaît. Marius reste seul, il est ému, agité. Il continue à placer les chaises, puis il prend une longue manivelle, l'enfonce dans le mur et commence à baisser le rideau de fer. Soudain, Piquoiseau paraît.

## Scène V

## MARIUS, PIQUOISEAU

PIQUOISEAU

Marius!

MARIUS

Il est rentré?

PIQUOISEAU

Mais non!

MARIUS

Oh! comme tu m'as fait peur!

PIQUOISEAU

Et maintenant, il ne rentrera plus. Il n'y a plus de train.

MARIUS

Mais il est peut-être à Marseille, chez une femme.

PIQUOISEAU

Mais non! Mais non! est-ce que tu es prêt, toi?

MARIUS

Viens voir.

Il va ouvrir la porte de sa chambre et montre à Piquoiseau quelque chose qui est par terre et que le public ne voit pas. Piquoiseau entre et se penche.

PIQUOISEAU

Il est lourd! Veux-tu que je l'emporte?

MARIUS

Non, ce n'est pas la peine.

PIQUOISEAU

Je retourne là-bas surveiller, hein? Et au premier coup de minuit, je viens t'appeler.

MARIUS

Tu gratteras doucement au rideau de fer. (Il montre le plafond.)

PIQUOISEAU

N'aie pas peur! On ne le réveillera pas! Il dort là-haut! Hi! hi! Il dort!

Il disparaît. Marius ferme le rideau de fer, puis il prépare des lettres. On frappe au rideau de fer.

MARIUS

Qui est là?

UNE VOIX

C'est Fanny.

Marius cache ses lettres et va ouvrir.

## Scène VI

## MARIUS, FANNY

MARIUS

C'est toi?

FANNY

Oui, tu attendais quelqu'un?

MARIUS

Non. Qu'arrive-t-il?

FANNY

Pas grand-chose. Tout à l'heure, en fermant l'éventaire...
J'avais laissé la clef sur le cadenas... Je suis venue la chercher, voilà tout.

MARIUS

Ah oui!... Et moi, tu vois, je fais mon petit travail avant
de me coucher.

FANNY

J'ai vu de la lumière par la fente, j'ai frappé, voilà!

MARIUS

Tu as bien fait.

FANNY

Et puis, je voulais te dire que j'ai suivi ton conseil. J'ai refusé Panisse.

MARIUS

Quand?

FANNY

Tout à l'heure, en partant, je suis allée chez lui toute seule. Il était dans la salle à manger, il lisait le journal avec ses grosses lunettes. Je lui ai dit que j'avais réfléchi et que je ne voulais pas.

MARIUS

Je ne sais pas si tu as raison...

FANNY

Comment? C'est toi qui m'as conseillé de refuser.

MARIUS

Je trouve que tu es allée un peu vite... et moi, peut-être j'aurais mieux fait de me taire... et de ne pas prendre une pareille responsabilité.

FANNY

Laquelle?

MARIUS

De te faire manquer un beau parti. (On entend un soulier qui frappe le plafond.) C'est mon père qui se couche.

FANNY

Oh! ne sois pas inquiet pour moi, ce ne sont pas les partis qui manquent...

On entend le deuxième soulier.

MARIUS

Panisse, c'était bien, tu sais... Enfin, si tu le veux, tu peux encore le rattraper.

FANNY

Alors, maintenant, c'est toi qui me conseilles de me vendre?

LA VOIX DE CÉSAR

Marius!

Marius va ouvrir la porte de l'escalier.

MARIUS

Quoi?

CÉSAR

Avec qui tu parles?

MARIUS

Avec personne. Je finis mon travail.

CÉSAR

Tu parles tout seul? Tu es somnambule, maintenant. Couche-toi vite. Et jette un coup d'œil sur le troisième tonneau de bière. Je ne sais pas si j'ai bien fermé le robinet.

MARIUS

Oui. Je vais voir, et je me couche tout de suite. (Marius revient vers Fanny.) Écoute, Fanny, nous parlerons de tout ça demain... Tu vois, mon père ne dort pas encore, il pourrait descendre. A demain, Fanny.

FANNY

Bon. Je m'en vais puisque tu me mets à la porte.

MARIUS

Mais non, Fanny, ne dis pas ça!

FANNY

D'ailleurs, c'est ton droit, tu es chez toi.

MARIUS

Fanny, ne me quitte pas fâchée. Reste encore cinq minutes avec moi.

FANNY

Pourquoi insistes-tu? Tu as déjà regardé la pendule. Deux fois. Je vois bien que tu attends quelqu'un!

MARIUS, *ferme la porte.*

Je n'attends personne, je t'assure. Viens t'asseoir ici, viens.

FANNY

Tu as quelque chose à me dire?

MARIUS

Oui. (Elle s'assoit.) Je veux te parler à propos de ce mariage. Je veux te parler comme un frère.

FANNY

Tu n'es pas mon frère.

MARIUS

Non, je le sais bien, mais c'est presque...

FANNY

Non, ce n'est pas presque. Tu n'es pas mon frère.

MARIUS

En tout cas, je te considère comme ma sœur.

FANNY

Je ne veux pas être ta sœur.

MARIUS

Mais pourquoi? (Fanny fond en larmes, Marius s'approche d'elle, très ému.) Fanny, qu'est-ce que tu as?

FANNY

C'est toi que j'aime, c'est toi que je veux. (Il s'approche d'elle, il essaie de lui relever la tête.) Maintenant que tu me l'as fait dire, sois au moins assez poli pour ne pas me regarder. (Un temps.) Et toi, Marius, tu ne m'aimes pas? (Il se tait.) Mais oui, tu m'aimes! Je le sais! J'en suis sûre! Allons, parle, dis-le-moi.

MARIUS

Je te l'ai déjà dit, Fanny. Je ne peux pas me marier!

FANNY

Pourquoi! Parce que tu as une maîtresse? Tu pourrais bien me l'avouer. Pour un garçon, ce n'est pas un crime! Oh! va, j'ai déjà demandé à la fille du café de la Régence!

MARIUS

Qu'est-ce que tu lui as demandé?

FANNY

Si elle était ta bonne amie. Elle m'a juré qu'elle ne te connaît pas, et elle se marie la semaine prochaine.

MARIUS

Mais que va-t-elle penser de toi?

FANNY, se lève.

Oh! ce qu'elle voudra. Et, maintenant, je vais surveiller le jour et la nuit, et je finirai bien par savoir qui c'est!

MARIUS

Mais ce n'est personne!

FANNY

Allons donc! Tu m'aimes, mais il y a dans ta vie une femme qui te tient d'une façon ou d'une autre... Tu lui as peut-être donné un enfant... Réponds : tu as un enfant?

MARIUS

Mais non, je te le jure!

FANNY

Ou alors, c'est quelque vilaine femme des vieux quartiers et tu as peur d'elle? Peut-être, tu as peur qu'elle se venge de moi? Dis-moi que c'est ça, Marius?

MARIUS

Mais non, ce n'est pas ça! Ne cherche pas, Fanny, tu ne peux pas trouver!

FANNY

Tu ne veux pas répondre, c'est que tu l'aimes! Tu l'aimes! Elle est donc bien belle, celle-là?

MARIUS

Fanny, ma petite Fanny, je te jure qu'il n'y a pas de femme dans ma vie.

FANNY

Alors, c'est simplement parce que tu ne veux pas de moi. Pourquoi? C'est à cause de ma tante Zoé que tu as honte de m'épouser?

### MARIUS

Si je me mariais, ce serait avec toi. Ne me pose plus de questions, tu sauras tout dans quelques jours. Mais, maintenant, va-t'en, va-t'en, Fanny...

Il remet la chaise en place.

### FANNY

Non, non, je ne m'en vais pas. Je veux savoir. Je veux que tu me dises que je ne suis pas assez jolie, ou pas assez riche, ou alors, que tu me donnes une raison! Enfin, on ne fait pas pleurer les gens comme ça! Marius, dis-moi ton secret!

### MARIUS

Si je te le disais, tu ne comprendrais pas, et peut-être, tu me trahirais!

### FANNY

Moi, te trahir? (Dans un sanglot.) Marius!

### MARIUS

Tu le répéterais parce que tu croirais que c'est pour mon bien.

### FANNY

Dis-le-moi, et je te jure devant Dieu que personne ne le saura jamais! Dis-le-moi, Marius...

### MARIUS

J'ai confiance en toi, je vais te le dire. Je veux partir.

FANNY

Partir? Pour aller où?

MARIUS

N'importe où, mais très loin. Partir.

FANNY

Pourquoi? Est-ce que ton père te rend malheureux?

MARIUS

Oh! non. Mon père a son caractère, mais il m'aime bien, et j'aurai de la peine à le quitter.

FANNY

Alors, qui t'oblige à partir?

MARIUS

Rien. Une envie.

FANNY

Tu ne veux pas m'emmener avec toi?

MARIUS

Je ne peux pas t'emmener.

FANNY

C'est sur les bateaux que tu veux aller? C'est Piquoiseau qui t'a monté la tête?

MARIUS

Non, Piquoiseau n'y est pour rien... Il me suit partout, parce que nous avons la même folie, mais il y a longtemps que cette envie m'a pris... C'était avant que tu reviennes d'Algérie... Un jour, devant le bar, un voilier s'est amarré... C'était un trois-mâts franc qui apportait du bois des Antilles, du bois noir dehors et doré dedans, qui sentait le camphre et le poivre. Il arrivait d'un archipel qui s'appelait les îles Sous-le-Vent... J'ai bavardé avec les hommes de l'équipage quand ils venaient s'asseoir ici; ils m'ont parlé de leur pays, ils m'ont fait boire du rhum de là-bas, du rhum qui était très doux et très poivré et puis un soir, ils sont partis. Je suis allé sur la jetée, j'ai regardé le beau trois-mâts qui s'en allait... Il est parti contre le soleil, il est allé aux îles Sous-le-Vent... Et c'est ce jour-là que ça m'a pris.

FANNY

Marius, dis-moi la vérité : il y avait une femme sur ce bateau, et c'est elle que tu veux revoir?

MARIUS

Mais non! Tu vois, tu ne peux pas comprendre.

FANNY

Alors ce sont ces îles que tu veux connaître?

MARIUS

Les îles Sous-le-Vent? J'aimerais mieux ne jamais y aller pour qu'elles restent comme je les ai faites. Mais j'ai envie d'ailleurs, voilà ce qu'il faut dire. C'est une chose bête, une idée qui ne s'explique pas. J'ai envie d'ailleurs.

FANNY

Et c'est pour cette envie que tu veux me quitter?

MARIUS

Oui.

FANNY

Il n'y a rien d'autre?

MARIUS

Non, il n'y a rien d'autre.

FANNY

Marius, j'avais peur que tu ne m'aimes pas, je trem-
blais à l'idée que tu pouvais aimer une autre femme. Mais
cette envie je n'en ai pas peur. Ce n'est rien, c'est une bêtise,
c'est un rêve d'enfant, si tu m'aimes, je te guérirai!

MARIUS

Je ne sais pas.

FANNY

Et puis, si je ne réussis pas, tu seras marin! Tu feras
comme les autres, tu ne seras pas toujours sur la mer!
Est-ce que cela peut nous empêcher de nous marier, si
tu veux de moi? (Il se tait.) Tu m'aimes, Marius, n'est-ce
pas? Dis-le-moi au moins une fois!

MARIUS

Oui, je t'aime.

> Il s'est approché d'elle, elle se jette dans ses bras; ils s'embrassent
> longuement, puis Fanny le repousse avec douceur. Elle est pro-
> fondément troublée, presque chancelante.

FANNY

Non, Marius... Assez... Je m'en vais... Si je rentrais
trop tard, les voisins le diraient à ma mère...

MARIUS

C'est vrai, va-t'en, tu as raison, va, ma petite Fanny...
Je ne peux pas t'accompagner, à cause de mon père... Mais

les rues sont encore éclairées... A demain, ma petite Fanny...
(Elle hésite sur la porte.) Tu as peur?

#### FANNY

Je n'ai pas peur de partir seule... Mais c'est drôle... Il
me semble que si je te quitte, je ne te verrai jamais plus!

#### MARIUS

Quelle idée! Tu me verras ici demain matin!

#### FANNY

C'est bête, Marius, c'est bête, mais je voudrais rester
encore un peu avec toi.

#### MARIUS

Si nous continuons à bavarder, nous finirons par réveiller
mon père...

#### FANNY

Tiens, laisse-moi m'asseoir ici. Je ne te dirai pas un mot
pendant que tu finis ton travail. Je me ferai aussi petite
qu'une souris... Veux-tu?

#### MARIUS

Si mon père descend, que pensera-t-il?

#### FANNY

C'est vrai. Eh bien, je m'en vais. Mais alors, jure-moi
que demain matin tu seras ici... C'est très bête, mais jure-le-
moi sur la mémoire de ta mère... Jure, Marius...

#### MARIUS

Non, ça me porterait malheur.

FANNY

Ça ne porte pas malheur quand on dit la vérité... Tu
ne veux pas jurer? (D'un signe de tête, il refuse. Fanny avance vers
lui.) Marius, tu pars cette nuit! Tu pars cette nuit!

MARIUS

Oui, peut-être.

FANNY

Pourquoi dis-tu peut-être?

MARIUS

Parce que ce n'est pas sûr... Un matelot du *Coromandel*,
qui était en permission, n'est pas rentré. S'il n'est pas à
bord à minuit, je prends sa place.

FANNY

Et tu attends qu'on vienne t'appeler?

MARIUS

Oui.

FANNY

Où va-t-il ce bateau?

MARIUS

En Australie.

FANNY

Dans combien de temps reviendras-tu?

MARIUS

C'est un voilier. Il faut compter six mois.

### FANNY

Marius, ne t'en va pas, je t'en supplie... Tu partiras plus tard, sur un autre bateau... Marius, tu ne m'aimes pas!

### MARIUS

Je ne t'aime pas! Si je ne t'aimais pas, je serais parti depuis bien longtemps... C'est toujours ta jolie figure qui m'a retenu... Mais maintenant, j'ai bien réfléchi, et je sais qu'il faut que je parte.

### FANNY

Mais pourquoi?

### MARIUS

Lorsque je vais sur la jetée, dès que je regarde le bout du ciel, je suis déjà de l'autre côté. Si je vois un bateau sur la mer, je le sens qui me tire comme une corde... Une ceinture me serre les côtes, je ne sais plus bien où je suis, je ne peux plus penser à rien... Toi, quand nous sommes montés sur le Pont Transbordeur, tu n'osais pas regarder en bas, tu avais le vertige, il te semblait que tu allais tomber... Eh bien, moi, quand je vois un bateau qui s'en va, je tombe vers lui... J'ai lutté bien souvent à cause de toi. Je me disais : " Ce sont des bêtises, des enfantillages " et je pensais comme je pourrais être heureux avec toi... Et puis, tout d'un coup, ça me reprenait. Une fois, la nuit, je me suis levé, j'ai fait le sac et je suis allé en courant jusqu'aux môles, comme si un bateau m'attendait... Je ne sais pas d'où vient cette folie... Peut-être c'est le rhum des îles Sous-le-Vent que ces matelots m'ont fait boire... Peut-

être, il y a, de l'autre côté, un sorcier qui m'a jeté un sort...
En tout cas, il y a des moments où ce n'est plus moi qui
commande, et je n'ai pas le droit de me charger de ton bonheur... Ma petite Fanny, on ne vit qu'une fois... Si je te
la gâche, ta vie?

FANNY

Si tu pars pour toujours, ma vie est perdue.

MARIUS

Mais non! Tu es bien jeune. Tu oublieras!

FANNY

T'oublier? Mais alors tu n'as pas compris! Marius,
toi, je t'ai toujours aimé... Même quand j'étais petite, quand
j'avais encore mes tresses.

MARIUS

Tais-toi!

FANNY

Non, non, il faut que tu le saches... quand tu es parti
soldat, je comptais les jours, et c'est pour te plaire que
j'ai appris à coudre, pour qu'à chaque permission tu me
voies dans une robe nouvelle... Et si tu parlais à une fille
devant moi, je pleurais, je devenais toute pâle, et je lui
souhaitais la mort!

MARIUS

Fanny!

FANNY

Quand je pensais à l'avenir, c'est toi que je voyais près
de moi! Depuis des années, j'attendais d'être grande pour

devenir ta femme et, chaque matin, je me disais : " C'est aujourd'hui qu'il me parlera... " J'ai tout essayé pour que tu me parles... J'ai accepté des fleurs de Victor, je t'ai dit que j'allais au bal, j'ai fait semblant d'écouter Panisse et, maintenant que tu me parles, c'est pour m'apprendre que tu m'aimes et que tu t'en vas!

### MARIUS

Fanny, je t'en supplie, ne me dis plus rien, n'essaie pas de me retenir, c'est inutile... Je ne sais plus que faire, moi, entre toi qui me retiens et cette force qui me tire! On a frappé!

Il va vers la porte.

### FANNY, dans un cri.

Non! Non!

Ils écoutent. Silence. Elle s'accroche à lui.

### MARIUS

Personne! Il est minuit moins cinq!

### FANNY

Marius, ne pars pas, je t'en supplie... Reste encore un peu... Deux jours, tiens, deux jours...

### MARIUS

Si tu voyais qu'on m'emmène avec des menottes, tu ne pleurerais pas, pour ne pas m'enlever mon courage... Au contraire, tu me consolerais... Ne me dis rien : ce n'est pas moi qui commande... Ma petite Fanny, je t'aime, je ne veux pas faire ton malheur... Laisse-moi partir. Oublie-moi...

#### FANNY

Jamais, jamais. Je t'attendrai.

#### MARIUS

Ne m'attends pas. Je repartirai.

> On frappe doucement au rideau de fer. La voix de Piquoiseau appelle :
> " Marius! Marius! "

#### FANNY

Tais-toi, ne réponds pas; tais-toi... (Il la repousse.) Si tu pars, je me jette à la mer!

#### LA VOIX DE PIQUOISEAU

Il est rentré... il vient de rentrer!

#### MARIUS

Il est rentré?

#### FANNY

Tu ne pars pas! Ne sois pas triste, Marius... Tu verras, je t'aimerai tant que je finirai bien par te guérir! Va, puisque tu n'es pas parti, maintenant, je te garderai!

> On entend des murmures, puis on frappe au rideau de fer au milieu
> de cris et rires.

#### LA VOIX D'UN ARABE

Hé, patron!

#### PLUSIEURS VOIX

Hé, patron! Patron!

UNE VOIX

Ti es couché! Ti veux pas donner bouteille di rhum pour moi?

Marius et Fanny se taisent.

UNE VOIX

Ti est pas couché, ji vois ta limière! Tu n'as pas éteint ton atrocité! Hé, patron!

Marius éteint brusquement.

LES VOIX

*Oyayaïe, qué triste année!*
*Tous les hommes mobilisés!*
*Sont partis li Dardanelles,*
*Ils ont laissé li mademoiselles!*

Une fenêtre s'ouvre au premier étage, et on entend la voix de César.

CÉSAR

Tu vas pas me laisser dormir tranquille, non, bougre d'ivrogne?

UNE VOIX

O patron, ti fâche pas, dis pas di gros mots!

CÉSAR

Allez chanter ailleurs, sales moricauds!

UNE VOIX

O qu'il est méchant, li patron! Venez, mis amis, mis bons amis!

### UNE AUTRE VOIX

*Avec zin sous di cacahouètes...*
*Hadj Guilloum il fait la fête...*
*Ay ay ay qu'il est joli*
*Mon paillasson de nouit!*

Ils s'éloignent en chantant.

### LA VOIX DE CÉSAR

Marius, tu es couché?

Un temps.

### MARIUS

Tais-toi, ne fais pas de bruit... (On entend les pas de César au-dessus du plafond.) Mon père descend... (Fanny fait un mouvement vers la porte.) Non, tu ne peux pas partir seule à ces heures... Attends... Je te raccompagnerai... (On entend le pas de César dans l'escalier.) Il descend... Viens, Fanny... Viens...

Il l'entraîne dans sa chambre. Ils entrent, la lumière s'éteint, la porte se referme, César paraît.

CÉSAR, il est en chemise de nuit, il porte un bougeoir à la main.

Pas moyen de dormir cinq minutes tranquille... Marius?...

On entend au loin les Arabes qui chantent la chanson des Dardanelles. César fait le tour du bar. Il remet à sa place le tiroir-caisse. Il ouvre la trappe de la cave, écoute et la referme. Il ronchonne : "Ils vont chanter toute la nuit, ces mahométans!" Puis il écoute à la porte de la chambre de Marius et murmure : "Il dort." Puis il remonte. Les Arabes chantent toujours et le clocher des Accoules sonne minuit, lentement.

### RIDEAU

# ACTE III

## PREMIER TABLEAU

*Il est 9 heures du soir. Dans le petit café, Escartefigue, Panisse, César et M. Brun sont assis autour d'une table. Ils jouent à la manille. Autour d'eux, sur le parquet, deux rangs de bouteilles vides. Au comptoir, le chauffeur du ferry-boat déguisé en garçon de café, mais aussi sale que jamais.*

## Scène première

## ESCARTEFIGUE, PANISSE, CÉSAR,
## M. BRUN, LE CHAUFFEUR

*Quand le rideau se lève, Escartefigue regarde son jeu intensément et perplexe, se gratte la tête. Tous attendent sa décision.*

### PANISSE, impatient.

Eh bien, quoi? C'est à toi!

### ESCARTEFIGUE

Je le sais bien. Mais j'hésite...

*Il se gratte la tête. Un client de la terrasse frappe sur la table de marbre.*

### CÉSAR, au chauffeur.

Hé, l'extra! On frappe!

*Le chauffeur qui faisait tourner la roue du comptoir tressaille et crie.*

### LE CHAUFFEUR

Voilà! Voilà!

*Il saisit un plateau vide, jette une serviette sur son épaule et s'élance vers la terrasse.*

### CÉSAR, à Escartefigue.

Tu ne vas pas hésiter jusqu'à demain!

#### M. BRUN

Allons, capitaine, nous vous attendons!

> Escartefigue se décide soudain. Il prend une carte, lève le bras pour la jeter sur le tapis, puis, brusquement, il la remet dans son jeu.

#### ESCARTEFIGUE

C'est que la chose est importante! (A César.) Ils ont trente-deux et nous, combien nous avons?

> César jette un coup d'œil sur les jetons en os qui sont près de lui, sur le tapis.

#### CÉSAR

Trente.

#### M. BRUN, sarcastique.

Nous allons en trente-quatre.

#### PANISSE

C'est ce coup-ci que la partie se gagne ou se perd.

#### ESCARTEFIGUE

C'est pour ça que je me demande si Panisse coupe à cœur.

#### CÉSAR

Si tu avais surveillé le jeu, tu le saurais.

#### PANISSE, outré.

Eh bien, dis donc, ne vous gênez plus! Montre-lui ton jeu puisque tu y es!

#### CÉSAR

Je ne lui montre pas mon jeu. Je ne lui ai donné aucun renseignement.

M. BRUN

En tout cas, nous jouons à la muette, il est défendu de parler.

PANISSE

Et si c'était une partie de championnat, tu serais déjà disqualifié.

CÉSAR, froid.

J'en ai vu souvent des championnats. J'en ai vu plus de dix. Je n'y ai jamais vu une figure comme la tienne.

PANISSE

Toi, tu es perdu. Les injures de ton agonie ne peuvent pas toucher ton vainqueur.

CÉSAR

Tu es beau. Tu ressembles à la statue de Victor Gelu.

ESCARTEFIGUE, pensif.

Oui, et je me demande toujours s'il coupe à cœur.

> A la dérobée, César fait un signe qu'Escartefigue ne voit pas, mais Panisse l'a surpris.

PANISSE, furieux.

Et je te prie de ne pas lui faire de signes.

CÉSAR

Moi je lui fais des signes? Je bats la mesure.

PANISSE

Tu ne dois regarder qu'une seule chose : ton jeu. (A Escartefigue.) Et toi aussi.

CÉSAR

Bon.

Il baisse les yeux vers ses cartes.

PANISSE, à Escartefigue.

Si tu continues à faire des grimaces, je fous les cartes en l'air et je rentre chez moi.

M. BRUN

Ne vous fâchez pas, Panisse. Ils sont cuits.

ESCARTEFIGUE

Moi, je connais très bien le jeu de la manille et je n'hésiterais pas une seconde si j'avais la certitude que Panisse coupe à cœur.

PANISSE

Je t'ai déjà dit qu'on ne doit pas parler, même pour dire bonjour à un ami.

ESCARTEFIGUE

Je ne dis bonjour à personne. Je réfléchis.

PANISSE

Eh bien! réfléchis en silence... Et ils se font encore des signes! Monsieur Brun, surveillez Escartefigue. Moi, je surveille César.

CÉSAR, à Panisse.

Tu te rends compte comme c'est humiliant ce que tu fais là? Tu me surveilles comme un tricheur. Réellement, ce n'est pas bien de ta part. Non, ce n'est pas bien.

PANISSE, presque ému.

Allons, César, je t'ai fait de la peine?

CÉSAR

Quand tu me parles sur ce ton, quand tu m'espinches comme si j'étais un scélérat, eh bien, tu me fends le cœur.

PANISSE

Allons, César...

CÉSAR

Oui, tu me fends le cœur. Pas vrai, Escartefigue? Il nous fend le cœur.

ESCARTEFIGUE, ravi.

Très bien!

Il jette une carte sur le tapis. Panisse la regarde, regarde César, puis se lève brusquement, plein de fureur.

PANISSE

Est-ce que tu me prends pour un imbécile? Tu as dit : "Il nous fend le cœur" pour lui faire comprendre que je coupe à cœur. Et alors il joue cœur, parbleu!

CÉSAR

...

PANISSE, il lui jette les cartes au visage.

Tiens, les voilà tes cartes, tricheur, hypocrite! Je ne joue pas avec un Grec; siou pas plus fade qué tu, sas! Foou pas mi prendré per un aoutré! (Il se frappe la poitrine.) Siou mestré Panisse, et siès pas pron fin per m'aganta!

Il sort violemment en criant : "Tu me fends le cœur!" En coulisse, une femme crie : "*Le Soleil! Le Radical!*"

## Scène II

## LES MÊMES, moins PANISSE

M. BRUN

Cette fois-ci, je crois qu'il est fâché pour de bon.

CÉSAR

Eh bien, tant pis pour lui, il a tort.

M. BRUN

Il a eu tort de se fâcher, mais vous avez eu tort de tricher.

CÉSAR

Si on ne peut plus tricher avec ses amis, ce n'est plus la peine de jouer aux cartes.

ESCARTEFIGUE

Surtout que c'était bien trouvé, ce que tu as dit.

UNE FEMME, entrant leur proposer des journaux.

*Le Soleil... Le Radical...*

Ils prennent chacun un journal.

CÉSAR

Tant pis, tant pis! Oh! il ne faut pas lui en vouloir...

Depuis quinze jours, il n'est plus le même. Depuis que Fanny lui a dit " non ".

### M. BRUN

Il vous en veut un peu, parce que si elle a dit non, c'est à cause de Marius.

### ESCARTEFIGUE

Il devrait bien comprendre que Marius et Fanny, c'est une jolie paire.

### M. BRUN

Je croyais même que c'était pour ne pas lui faire de peine que vous n'aviez pas encore annoncé les fiançailles.

### CÉSAR

Oh! non, ça n'a aucun rapport. Ils ne sont pas encore fiancés parce qu'ils n'en ont pas encore parlé à leurs parents.

### M. BRUN

Pourtant, ils se regardent toute la journée, et d'une façon qui ne trompe personne.

### CÉSAR

Bien sûr, ça finira par une noce. Mais pour le moment, ils n'ont rien dit, ni à Honorine, ni à moi. On boit la dernière et on fait une manille aux enchères à trois, pour savoir qui paiera les consommations?

### ESCARTEFIGUE

Ça va.

> César bat les cartes et fait couper M. Brun. Fanny, qui depuis un moment refermait son éventail, entre dans le bar.

## Scène III

## LES MÊMES, FANNY

#### FANNY

Bonsoir, monsieur César.

#### CÉSAR

Tu vas déjà te coucher?

#### FANNY

Oh! non. Je vais accompagner ma mère à la gare.

#### CÉSAR

Tu es une bonne fille.

#### ESCARTEFIGUE

Trente.

#### M. BRUN

Trente et un, sans voir.

#### CÉSAR

Trente-deux.

#### ESCARTEFIGUE

Trente-trois.

FANNY

Marius est déjà parti?

CÉSAR

Non. Qu'est-ce que tu lui veux?

FANNY

C'est pour qu'il m'aide à rentrer mes paniers d'huîtres.

CÉSAR

Je crois qu'il s'habille pour sortir. Trente-cinq.

ESCARTEFIGUE

Quarante.

M. BRUN

C'est bon.

CÉSAR

C'est bon.

ESCARTEFIGUE

A trèfle.

> Pendant ces répliques, Fanny est allée près de la porte de la chambre de Marius.

FANNY

Marius!

MARIUS

Bonsoir, Fanny.

> La porte s'ouvre, paraît Marius. Il est en bras de chemise. Il a une superbe ceinture en peau de daim.

## Scène IV

## LES MÊMES, MARIUS

ESCARTEFIGUE

Et un tour d'atout!

Il joue

FANNY

Tu viens m'aider à rentrer mes paniers?

MARIUS

Tout de suite.

ESCARTEFIGUE

Manille de carreau.

CÉSAR

O bonne mère! Le manillon sec! O bonne mère! Il n'y a donc personne, là-haut? Eh! non. Il n'y a personne.

Marius met son pied sur une chaise et rattache les lacets de ses chaussures.

FANNY

Tu vas te promener?

MARIUS

Oui, comme d'habitude.

FANNY, à voix basse.

Tu viendras chez moi, ce soir, à 10 heures.

MARIUS, même jeu.

Sûrement.

> Ils sortent tous les deux et rentrent bientôt en portant à deux un gros panier d'huîtres.

FANNY

Celui-là, je ne le descends pas à la cave. Laissons-le là. Eh bien, merci, Marius, à demain.

MARIUS

A demain. Bonsoir, Fanny. (A voix basse.) Attention que ta mère ne manque pas le train.

FANNY

Je l'accompagne à la gare.

MARIUS

Ça va.

FANNY

Bonsoir, messieurs.

ESCARTEFIGUE

Bonsoir, Fanny.

M. BRUN

Bonsoir, mademoiselle Fanny.

> Elle sort.

ESCARTEFIGUE, à Marius.

Elle est jolie comme un cœur, cette petite. Pas vrai, Marius?

MARIUS

Oui, elle est très jolie.

> Il disparaît dans sa chambre.

## Scène V

## LES MÊMES, moins FANNY et MARIUS

CÉSAR

Si elle savait où il va ce soir, elle se ferait de la bile, la petite Fanny.

M. BRUN

Ah bah! Pourquoi?

CÉSAR, à voix basse.

Parce que monsieur va voir sa maîtresse. Oui, sa vieille maîtresse... Et je soupçonne que c'est pour ça qu'il n'est pas pressé de se fiancer.

ESCARTEFIGUE

Oh! qué brigand!

CÉSAR

Monsieur s'habille pour aller passer la nuit chez une femme.

M. BRUN

Qu'en savez-vous?

CÉSAR

Vous allez voir le coup, tout à l'heure, il va sortir et me dire : " Bonsoir, papa " et il s'en ira. Mais après, nous n'aurons qu'à écouter à la porte de la chambre. Il fait le tour par la petite rue, il rentre dans sa chambre par la fenêtre, et (Il montre la porte.) il vient fermer cette porte à clef en dedans.

ESCARTEFIGUE

Et pour quoi faire?

CÉSAR

Pour quoi faire? Gros malin! C'est moi qui le réveille tous les matins à huit heures... Si la porte est fermée à clef en dedans, je m'imagine qu'il est rentré et qu'il dort, et je ne puis pas aller le vérifier...

M. BRUN

C'est très bien imaginé.

CÉSAR

Quand il arrive, il rentre par la fenêtre et il vient comme un homme qui s'éveille. Seulement je m'en suis aperçu depuis deux semaines...

M. BRUN

Et comment?

CÉSAR

Parbleu! Un matin, moi aussi j'ai fait le tour par la petite rue, et je suis allé voir par la fenêtre. Depuis, je ne lui ai rien dit, mais je m'amuse à le surveiller. A toi, à donner. (A ce moment, l'extra rentre à toute vitesse, en portant à bout de bras

un plateau chargé de bouteilles, avec des gestes d'équilibriste.) Eh !
l'Américain, fais attention au matériel.

L'extra pose son plateau et va s'asseoir à la caisse.

ESCARTEFIGUE

César, qui est-ce sa maîtresse ?

CÉSAR

Je ne le sais pas. (Escartefigue bat les cartes.) Nous n'en
avons parlé qu'une fois, mais sans détails. D'ailleurs, je
suis à peu près fixé et je suis sûr que c'est une femme de
navigateur.

ESCARTEFIGUE

Pourquoi ?

CÉSAR

D'abord, parce qu'il va passer la nuit entière. C'est donc
que le mari n'y couche pas tous les soirs.

M. BRUN

Oui, évidemment. (Il regarde ses cartes.) Trente-deux.

ESCARTEFIGUE

Trente-cinq.

CÉSAR

Quarante. Et ensuite tout le monde sait bien que c'est
dans la marine qu'il y a le plus de cocus.

ESCARTEFIGUE

Comment ?

CÉSAR

Je dis : " C'est dans la marine qu'il y a le plus de cocus ! "
Quarante. (Escartefigue se lève, il lâche les cartes.) Qu'est-ce qui te
prend ? Je t'ai blessé ? Je te demande pardon.

### ESCARTEFIGUE

A qui demandes-tu pardon? Au marin, ou au cocu?

### CÉSAR, conciliant.

A tous les deux.

### ESCARTEFIGUE

Et tu crois qu'il suffit de s'excuser en souriant?

### CÉSAR

Allons, Félix, ne te fâche pas! Je ne te reproche pas d'être cocu, je sais bien que ce n'est pas de ta faute. Et puis, tout le monde le sait...

### ESCARTEFIGUE, indigné.

M. Brun ne le savait pas.

### M. BRUN

Hum.

### CÉSAR

Mais si, il le savait... N'est-ce pas, monsieur Brun, que vous le saviez.

### ESCARTEFIGUE

Que je sois cocu, ça ne te regarde pas, et ça n'a d'ailleurs aucune importance. Mais je te défends d'insulter la marine française. Et après la phrase que tu viens de prononcer, je ne puis plus faire la partie avec toi.

### CÉSAR

Voyons, Félix, écoute...

ESCARTEFIGUE

Je n'écoute rien. Je me présenterai ici demain matin pour recevoir tes excuses. Bonsoir, monsieur Brun.

M. BRUN

Allons, capitaine...

ESCARTEFIGUE

N'insistez pas, monsieur Brun.

CÉSAR

Mais si tu veux des excuses, je vais te les faire tout de suite.

ESCARTEFIGUE

Non, j'exige des excuses réfléchies... Il faut que tu te rendes compte de la gravité de ce que tu as dit.

CÉSAR

C'est une phrase en l'air! Je n'ai jamais eu l'idée d'insulter la marine française. Au contraire, je l'admire, je l'aime...

ESCARTEFIGUE, sur la porte, avec une grande noblesse.

Il se peut que tu aimes la marine française, mais la marine française te dit m......

Il disparaît.

## Scène VI

## CÉSAR, M. BRUN, puis MARIUS

CÉSAR

Comme il est susceptible!

M. BRUN

Et voilà encore une partie qui ne finira pas.

CÉSAR

Et c'est pas gentil ce qu'ils vous ont fait.

M. BRUN

A moi? Quoi?

CÉSAR

Ils se sont arrangés pour vous laisser les consommations.

M. BRUN

Pardon. Pour nous laisser les consommations.

CÉSAR

Nous, oui, peut-être... Si on les faisait à l'écarté?

M. BRUN

Il est bien tard, et je n'ai pas encore dîné.

CÉSAR

Un tout petit écarté en cinq points... Allez... allez...

M. BRUN

Allons-y.

César bat les cartes. Marius sort de sa chambre, tout prêt.

CÉSAR

Eh bien, petit, tu vas faire un tour?

MARIUS

Oui, je vais passer la soirée au cinéma.

CÉSAR

Bon. Que tu es beau! Approche. Tu as un beau costume.
Tu as de l'argent?

MARIUS

J'ai ce qu'il me faut.

CÉSAR

Amuse-toi bien. Et ne rentre pas trop tard, qué?

MARIUS

Minuit... Une heure... Bonsoir papa. Bonsoir, monsieur
Brun.

M. BRUN

Bonsoir, Marius.

CÉSAR

Bonsoir, petit. (Marius sort en disant : " Bonsoir, papa. ") Vous
allez entendre la clef tout à l'heure... Je tourne le roi.

M. BRUN

Ça commence bien. (Il jette une carte sur le tapis.)

CÉSAR

Je prends avec la dame. (Il joue à mesure qu'il annonce.) L'as, le roi, le valet, le dix, et c'est trois pour moi. A vous de faire, monsieur Brun.

M. BRUN

A moi. (Il donne, César prête l'oreille.) Il n'est pas encore là?

CÉSAR, il regarde son jeu.

Vous allez entendre la clef. J'en demande.

M. BRUN

Je refuse.

CÉSAR

Ah! oh!

M. BRUN

Atout, atout, un as, et le dix de pique! Et ça fait deux pour moi.

CÉSAR, il prête l'oreille.

Eh bien, vous jouez bien, à ce jeu-là. Le voilà. Approchez-vous. (M. Brun se lève et vient sur la pointe des pieds près de la porte. Ils écoutent tous deux en souriant, comme des conspirateurs. A voix basse.) Vous l'entendez?

M. BRUN, de même.

Il a des souliers qui craquent.

CÉSAR

Chut! Allez le lui dire!... (Il tourne la tête vers l'intérieur du bar et parle à très haute voix, comme s'il jouait aux cartes.) Atout, atout, et la dame de cœur! Dites quelque chose, bon Dieu!

Il fait signe à M. Brun de l'imiter.

M. BRUN

Il me reste l'as de pique et un carreau maître.

*Silence. On entend la clef qui tourne très doucement dans la serrure. César rit silencieusement.*

CÉSAR

Il va donner encore un tour. (La clef tourne pour la seconde fois. Puis le silence.) Et le voilà parti! Ah! le coquin!

*Ils sont retournés devant la table de jeu.*

CÉSAR

A moi la donne! (Il donne les cartes.) C'est égal!... Ayez donc des enfants! Vingt-quatre ans! Et il découche! Et ça me fait quelque chose! Et je tourne... le roi!

M. BRUN

Encore?

CÉSAR

Mon cher, j'aime mieux vous prévenir tout de suite : je tourne le roi à tous les coups.

M. BRUN

Cela pourrait sembler singulier.

CÉSAR

Ce n'est pas singulier, mais c'est difficile.

M. BRUN

Alors... vous avouez que vous trichez?

CÉSAR

Peut-être, mais comme vous ne le verrez jamais, le coup est régulier.

M. BRUN, riant.

Dans ces conditions, je préfère payer les consommations tout de suite.

CÉSAR

Si vous voulez : $4 + 5 + 6 + 6$, ça fait 21 francs tout juste.

M. BRUN

Voilà. Et voilà 2 francs pour l'extra.

CÉSAR, il désigne l'extra qui ronfle sur le comptoir.

Je les lui donnerai quand il s'éveillera. A demain, monsieur Brun, et bon appétit.

M. BRUN

A demain !

Il sort. César, campé sur la porte, le regarde partir, puis le rappelle en criant à tue-tête : " Monsieur Brun ! "

M. BRUN, au loin.

Oui !

CÉSAR

Ne le dites à personne qu'Escartefigue est cocu. Ça pourrait se répéter ! (César revient vers les cartes. Il bâille, puis il prend les cartes, les bat en pensant à autre chose. Il murmure.) Sacré Marius, va ! (Puis il s'assoit devant la table.) Si je me faisais une réussite ?

Et tranquillement, il aligne les cartes sur le tapis et commence la réussite, pendant que le rideau descend.

RIDEAU

# DEUXIÈME TABLEAU

*Un coin de la jetée de Marseille, la nuit.*

### Scène première

## MARIUS, FANNY

Entre Marius. Il est pensif, il regarde la mer, puis il se tourne du
côté de la ville, comme s'il attendait quelqu'un. Enfin, il descend
sur les blocs qui sont au premier plan. Il s'assoit. Il attend. Au bout
de quelques secondes, une petite ombre paraît sur la chaussée.
Elle marche vite, elle n'a pas vu Marius. Il la voit, il l'appelle à voix
basse.

MARIUS

Fanny! Fanny!

L'ombre s'arrête.

FANNY

C'est toi? (Elle descend vers lui.) Je croyais que tu étais
allé plus loin, et dans cette brume je ne te voyais pas...

Ils s'embrassent tendrement.

MARIUS

Tiens, assieds-toi ici... Les pierres sont encore chaudes
du soleil.

FANNY

Ce n'est pas bon pour les poumons, ce brouillard.

MARIUS

C'est une petite brume d'été... Regarde : la lune se lève,
elle va la manger en dix minutes!

FANNY, elle se blottit contre lui.

Ah! je languissais de t'embrasser! Serre-moi contre toi,
voyons! Tu m'aimes?

MARIUS

Oui, je t'aime. Et toi?

FANNY, très gravement.

Moi, je t'aime comme une folle. (Soudain, elle tressaille.)
Oh! il y a un homme, là-bas!

MARIUS

Où?

FANNY

Regarde : il est assis sur un bloc.

MARIUS, il regarde.

Ah! oui. C'est un douanier. Il surveille la côte.

FANNY

Il ne surveille pas bien. Il regarde tout le temps de notre
côté... Nous ferions bien mieux de rentrer.

MARIUS

Attendons au moins que tes voisins soient couchés!
Ils auraient vite fait de dire à ta mère que je suis entré chez
toi à 10 heures du soir pour en sortir à 6 heures du matin...

FANNY

C'est vrai. La vieille du rez-de-chaussée serait capable de ne pas dormir pour surveiller la porte! Et puis, tant pis pour le douanier!

> Elle se jette sur Marius en riant et le renverse sur un bloc. Elle l'embrasse avec fureur.

MARIUS

Tu es sûre que ta mère n'a pas manqué son train?

FANNY

N'aie pas peur. Je l'ai vue partir. La pauvre! Elle croyait que j'étais allée à la gare pour lui porter ses paquets.

MARIUS

Tu crois qu'elle ne se doute de rien?

FANNY

Oh! elle sait bien que je t'aime, puisque je le lui ai dit.

MARIUS

Est-ce qu'elle ne te surveille pas un peu, sans en avoir l'air?

FANNY

Oh! non! Elle a trop confiance en moi!

MARIUS

C'est horrible, ce que tu dis là.

FANNY

C'est vrai que c'est horrible!

MARIUS

Et tu l'avoues en riant?

FANNY

Oui. Je pense que c'est horrible et pourtant je suis heureuse. Comment trouves-tu ça?

MARIUS

Ah! tu as peut-être un mauvais fond.

FANNY

Oh! tais-toi. Je me le suis déjà dit. Tu le crois vraiment?

MARIUS

Mais non, grand nigaud... Tu es une gentille petite Fanny, voilà tout. D'ailleurs, je suis sûr que tu as des remords.

FANNY

Peut-être... Mais comme je pense toujours à toi, je n'ai pas eu le temps de m'en apercevoir. Pourtant, quand je suis seule avec maman, je ne me sens plus à mon aise comme avant. Hier, par exemple, j'ai eu peur.

MARIUS

De quoi?

FANNY

A table, tout d'un coup, elle m'a bien regardée, pendant plus d'une minute, sans dire un mot. Et moi j'ai rougi jusqu'aux oreilles.

MARIUS

Et pourquoi te regardait-elle?

FANNY

Je ne sais pas. (Un temps, puis à voix basse.) Tu crois que
ça ne se voit pas?

MARIUS

Quoi?

FANNY, elle baisse les yeux.

Tu le sais bien.

MARIUS

Mais non, petit nigaud. Personne ne peut le voir!

FANNY

En tout cas, la couleur de mes yeux a changé.

MARIUS

Je ne l'ai pas remarqué.

FANNY

Parce que tu ne me regardes pas assez. Le petit rond du
milieu est devenu plus foncé. J'avais les yeux marron clair,
maintenant on dirait des grains de café. Et ils brillent tellement que je n'ose plus regarder les gens qui me parlent.
Il me semble que tout le monde le voit... (Brusquement.)
Bah! tant pis! Qu'est-ce que c'est, tout le monde? Pour
moi, le monde, c'est toi. Je t'aime, tu m'aimes, je ne demande
rien de plus. (Elle prend le visage de Marius entre ses mains et lui
parle tout près, à voix basse.) Dis, tu n'es pas effrayé que je
t'aime si fort?

MARIUS

Non, puisque je t'aime autant! Va, tu ne peux pas te figurer à quel point. Fanny, ma petite Fanny...

Il l'embrasse passionnément.

FANNY

Et dire que monsieur voulait s'en aller au pays des singes verts! Dis, tu te rends compte, à présent, comme c'était bête?

MARIUS

C'était tout simplement inexplicable... J'aurais tout quitté, tout lâché, comme ça, tout d'un coup...

FANNY

Et pourquoi? Je te le demande!

MARIUS

Pour rien.

FANNY

Dis, tu n'y penses plus maintenant?

MARIUS

Plus comme avant! Ma folie est partie comme elle était venue. Grâce à toi! Tu es heureuse, au moins?

FANNY

Dans toute ma vie, ce qui fait dix-huit ans et cinq mois, je n'ai pas vécu aussi longtemps que depuis trois semaines. Tout de même, c'est beau, la vie.

MARIUS

Oui, c'est beau, mais c'est compliqué.

FANNY

Pourquoi? Moi, vois-tu, là, comme je suis, je suis très heureuse. Il n'y a qu'une chose qui me fasse un peu de peine par moments. Oh! pas une grande peine, mais un tout petit peu.

MARIUS

Et quoi?

FANNY

Panisse. Parce qu'il souffre, et par ma faute... Je lui ai fait du mal sans y penser... Quand on aime quelqu'un, c'est effrayant comme on pense peu aux autres...

MARIUS

Mais maintenant, je vois que tu penses beaucoup à lui.

FANNY

Je le rencontre partout... Il ne dit rien, mais il me regarde avec des yeux tristes, et se fait petit comme le chien d'un pauvre... Il a l'air bien malheureux...

MARIUS

Tu devrais l'épouser pour le consoler.

FANNY

Que tu es bête! C'est toi que j'épouserai... Toi, mon Marius...

MARIUS

Quand?

FANNY

Quand tu voudras. Dans un mois si tu veux.

MARIUS

Je vais parler à mon père demain matin et, demain soir, nous allons te demander à ta mère.

FANNY

Bon. Veux-tu que je te dise mon plan?

MARIUS

Quel plan?

FANNY

Pour notre installation.

MARIUS

Tu as un plan?

FANNY

Depuis longtemps. Chaque fois que j'allais chez toi, c'est-à-dire tous les jours, j'arrangeais tout dans mon imagination.

MARIUS

Dis un peu ton plan.

FANNY

D'abord, il faudra que ton père nous donne sa chambre parce qu'elle est plus grande que la tienne.

MARIUS

C'est ça ton plan?

FANNY -

C'est le commencement.

MARIUS

Eh bien, ma fille, ça commence mal, parce que mon père ne donnera jamais sa chambre.

FANNY

Pourquoi?

MARIUS

Sa chambre! Pense un peu! Depuis que maman est morte, il a gardé toutes les choses à la même place! C'est tout juste s'il permet à Félicie de faire le lit chaque matin... N'y compte pas. Nous ne l'aurons jamais.

FANNY

Eh bien, tant pis, nous prendrons la tienne, et je me charge de l'arranger très bien. D'abord, je vais la faire tapisser en bleu, parce que ça va très bien avec mes cheveux. Et pour les meubles, voilà comment je les placerai : entre les deux fenêtres, je mettrai la commode ancienne que ma tante Claudine doit me donner. Il paraît qu'elle vaut très cher. Elle a plus de cent ans! Et en face de la commode... (Soudain une sirène puissante hurle dans la brume. Fanny tressaille.) Qu'est-ce que c'est?

MARIUS

Un navire qui passe sous Planier et qui siffle pour éviter un abordage. (Un autre coup de sirène.) C'est un gros, celui-là... (Il se tourne brusquement vers Fanny.) Et en face de la commode, qu'est-ce que nous mettrons?

FANNY

Notre lit.

MARIUS

Attention, quelqu'un.

## Scène II

## LES MÊMES, PIQUOISEAU

PIQUOISEAU

Marius! Hep! Marius!

FANNY

Marius n'est pas là!

PIQUOISEAU

S'il y a Fanny, il y a Marius. (Il descend sur les blocs.) Si je dérange les amoureux, pardon, excuse et salut! Dis donc, Marius, je voudrais te parler.

FANNY

Eh bien, parlez. Marius n'a pas de secret pour moi.

PIQUOISEAU

Je le sais bien. Mais moi j'en ai, moi j'en ai... Écoute, Marius.

FANNY, agressive, presque méchante.

Si vous avez quelque chose à dire, dites-le devant moi, sinon allez-vous-en.

### PIQUOISEAU

Bien, bien, je m'excuse. (A Marius.) Alors, je te verrai
tout à l'heure.

### MARIUS

Et où me verras-tu?

### PIQUOISEAU

Je vais me coucher devant la porte du bar, et je te verrai
quand tu rentreras... Bonsoir, les amoureux!

Il sort du côté où il était entré.

## Scène III

## MARIUS, FANNY

#### MARIUS

Ça, c'est ennuyeux. Il va voir que je ne rentre pas coucher à la maison.

#### FANNY

Tu diras qu'il ne t'a pas vu...

#### MARIUS

Il va le répéter partout... C'est bête cette histoire-là...

#### FANNY

Est-ce que tu sais ce qu'il te veut?

#### MARIUS

Je n'en ai pas la moindre idée! Il vaudrait mieux que je le rattrape tout de suite pour nous en débarrasser.

#### FANNY

Tu me répéteras tout?

MARIUS

Mais bien sûr, voyons!

FANNY

Eh bien, dépêche-toi! je t'attends.

MARIUS

Reste là sur la chaussée, pour que je puisse te voir de loin... Quel vieux fou!

*Il sort*

## Scène IV

## FANNY, PANISSE

*Fanny reste seule quelques secondes, puis une ombre s'avance sur la chaussée, du côté opposé. Fanny se retourne brusquement et tressaille.*

### L'OMBRE

N'aie pas peur, Fanny, c'est moi, c'est Panisse.

### FANNY

C'est vous qui étiez là-bas, assis sur un bloc?

### PANISSE

Oui, peut-être...

### FANNY

Je vous avais pris pour un douanier... Vous nous suiviez?

### PANISSE

C'est malgré moi... Et puis, si je te suis, c'est parce que j'ai quelque chose d'important à te dire.

### FANNY

Non, Panisse, ne me dites rien maintenant. Si vous avez à me parler, je suis toute la journée à mon éventaire.

PANISSE

Oui, je sais bien... Mais tu n'es jamais seule, et ce que je veux te dire, c'est une espèce de confidence...

Il s'assoit sur un bloc.

FANNY

Je ne vous demande pas vos confidences. Gardez-les pour vous et laissez-moi tranquille, surtout quand je me promène avec mon fiancé.

PANISSE

Marius n'est pas encore ton fiancé.

FANNY

Vous le savez mieux que moi?

PANISSE

Si la chose n'est pas encore officielle, c'est qu'il y a une raison. Et si cette raison, à la fin, empêchait ton mariage?

FANNY

Quelle raison?

PANISSE

C'est peut-être de ça que je veux te parler. Il faut que tu le saches avant qu'il soit trop tard.

FANNY

Comment, trop tard?

PANISSE

Quand on est si jeune, le sang marche vite. On peut venir se promener sur les blocs et puis, sans y penser, faire une bêtise et passer le reste de sa vie à le regretter.

FANNY

Occupez-vous donc de vos bêtises avant de penser à celles des autres. Allons, Panisse, allez-vous-en et parlez-moi demain si vous voulez.

PANISSE

Tu ne me regardes pas d'un bon œil parce que tu te méfies de moi. Et tu te méfies de moi parce que je t'ai demandée à ta mère.

FANNY

Je vous ai déjà dit : " Non. "

PANISSE

Mais oui, je le sais bien et je n'insiste pas. D'ailleurs, ce jour-là, j'ai fait une grosse bêtise, parce que maintenant, si je te parle dans ton intérêt, tu croiras toujours que je parle par jalousie.

FANNY

Et si je vous disais que je le crois, qu'est-ce que vous répondriez ?

PANISSE

Écoute, Fanny, je ne t'aurais pas demandée, si tu ne m'avais pas encouragé. Laisse-moi un peu t'expliquer. (Il regarde du côté de Marius.) Ils sont loin, maintenant, et d'ici je le verrai venir. Il y a un peu de ta faute, Fanny. Moi j'essayais d'être charmant avec toi, comme d'ailleurs avec toutes les dames. Mais si tu n'avais pas pris l'air de t'y intéresser, je ne serais jamais allé plus loin.

FANNY

Moi, je vous ai encouragé ?

### PANISSE

Mais oui! Maintenant, je sais bien ce que tu voulais :
c'était de piquer le jeune homme. Mais, sur le moment,
je ne l'ai pas vu et lorsque tu venais au cabanon avec ta
mère, je croyais que c'était pour mes beaux yeux ou pour
mon joli nez. Tous les hommes sont bêtes sur ce chapitre,
et moi peut-être plus que les autres. Tu as refusé. Bon.
Maintenant, la chose est éclaircie et je ne te fais même pas
de reproche; et pourtant, une supposition que je sois tombé
amoureux de toi, ça aurait pu arriver, remarque, j'aurais
pu voir toute ma vie gâchée et souffrir comme un malheureux parce que tu t'es un peu amusée pour agacer ton Marius.
Heureusement, j'ai du bon sens, c'est arrangé, n'en parlons
plus... Mais tout ça n'est pas une raison pour que je n'aie
plus d'amitié pour toi. Et si je vois qu'un danger te menace,
j'ai tout de même le droit de t'avertir!

### FANNY

Quel danger, Panisse? Parlez! Il s'agit de Marius?

### PANISSE

Eh! oui, parbleu! Écoute donc : ton Marius, il est un
peu comme son ami Piquoiseau. Il a la folie de partir.

### FANNY

Je le sais. Il me l'a dit.

### PANISSE

S'il te l'a dit, c'est déjà mieux. Remarque qu'à son âge,
ce n'est pas grave. J'en ai connu cinquante comme ça qui
parlaient de faire le tour du monde et qui sont restés bien
au frais dans leur magasin, au lieu d'aller mourir dans

quelque naufrage pour engraisser les arapèdes sur la côte des Malabars.

### FANNY

C'est vrai, Panisse, vous en avez connu?

### PANISSE

Té, M. Lèbre, le chef de musique... Et Cabanis, le concierge de la mairie! Et je pourrais encore t'en citer d'autres!

### FANNY

Ils se sont guéris, n'est-ce pas?

### PANISSE

D'un seul coup!

### FANNY

Et comment?

### PANISSE

Va, c'est toujours une petite Fanny qui les a fait changer d'idée. Lui aussi, il se guérira. Seulement, il y a une chose qui m'inquiète un peu.

### FANNY

Et quoi?

### PANISSE

Tu connais la *Malaisie*, le trois-mâts qui part en mission demain matin? C'est un gros bateau blanc qui est au môle G. C'est moi qui lui ai fait ses voiles. Eh bien... Marius est souvent avec le quartier-maître de ce bateau... Le Piquoiseau manigance quelque chose... Peut-être qu'il essaie de le faire partir... Remarque bien, j'ai dit " qu'il essaie! "

### FANNY

Panisse, vous savez quelque chose et vous ne voulez pas le dire!

PANISSE

Fanny, je t'ai dit tout ce que je sais, et si tu en parles
à Marius... comme je n'aime pas faire des cafardages, je
te prie de lui dire que c'est moi qui t'ai avertie.

FANNY

Mais de quoi m'avertissez-vous?

PANISSE, gêné.

De rien, en somme, de rien. Je te dis simplement : méfie-
toi. Ce quartier-maître, je l'ai vu tout à l'heure par là-bas,
sur la jetée.

FANNY, dans un cri.

Marius!

PANISSE

Ne crie pas, ne crie pas. Tout peut s'arranger très bien.
Moi, tout ce que je voulais te dire, c'est de ne pas trop
t'engager avec ce garçon. Voilà ce que je voulais te dire...
Il ne faut pas le prendre au tragique, mais il me semble qu'il
est bon de le savoir... Et puis, en tous les cas, si jamais tu
as besoin d'un conseil ou d'une aide, tu viens au 45, quai
du Port, rez-de-chaussée, la porte à gauche, tu frappes
fort, parce que la sonnette est cassée, et tu vois paraître
ce vieux fada de Panisse qui sera toujours prêt à se couper
en quatre pour te rendre service ou même pour te faire
plaisir... (Fanny n'écoute plus. Elle s'en va sur les blocs en murmurant
" Marius... Marius... " Panisse reste seul en scène.) Je ne sais pas si
j'ai bien fait... S'il partait, tout de même? S'il partait?...
Non, la pauvre petite, ça lui ferait trop de peine... J'ai été
fada de lui dire, mais j'ai bien fait... J'ai bien fait...

Il sort dans la nuit.

RIDEAU

## TROISIÈME TABLEAU

*Un autre coin de la jetée. A droite, au-dessus de la chaussée, se dresse la tour du sémaphore, avec ses mâts. La fenêtre est éclairée.*

### Scène première

## MARIUS, LE QUARTIER-MAITRE, PIQUOISEAU

Assis sur un bloc, Marius, la tête entre ses mains. Accroupi par terre, Piquoiseau. Debout, un quartier-maître de la marine en uniforme d'été.

LE QUARTIER-MAÎTRE, il est de fort mauvaise humeur.

Dis donc, depuis quatre mois que je traîne ici en attendant l'appareillage, tu m'en as raconté des boniments! Et tu disais : " Ah! si quelqu'un pouvait me faire embarquer! " Et alors, moi, ce matin, quand ils ont emporté le bonhomme à l'hôpital, j'ai dit tout de suite au second : " J'ai un remplaçant tout ce qu'il y a de bien ", et je lui ai donné tes papiers. Et maintenant tu te dégonfles! Enfin c'est ton droit mais tu aurais pu me le dire plus tôt.

MARIUS

Je ne savais pas que la *Malaisie* partait demain.

LE QUARTIER-MAÎTRE

Moi non plus, l'ordre est venu de Paris cette nuit. Demain, à midi, on lève l'ancre pour cinq ans.

MARIUS

Je ne peux pas... Je ne peux plus...

LE QUARTIER-MAÎTRE

Marseille, Le Pirée, Suez, Aden, Colombo, Macassar...

On voit Fanny qui se glisse entre deux blocs et qui vient écouter la conversation.

PIQUOISEAU

Malheur, malheur! Toi qu'on appelle, tu ne pars pas!

MARIUS

Je ne peux pas... Je ne peux pas...

LE QUARTIER-MAÎTRE

Ça n'est pas franc, mon vieux. Non, ça n'est pas franc.

MARIUS

Ce n'est pas moi qui vous ai demandé. C'est Piquoiseau qui a demandé pour moi...

LE QUARTIER-MAÎTRE

Oui, mais quand je t'en ai parlé, tu avais dit *oui*. Parfaitement, tu as dit oui. Et puis maintenant, quand je viens

t'avertir que ça y est, tu dis non. Eh bien, non, mon vieux...
Ça n'est pas franc. On ne peut pas dire que ça soit franc.
Enfin, tant pis. Le second a de l'amitié pour moi et je vais
arranger l'affaire. Mais à l'avenir, je me méfierai des Marseillais...

MARIUS

Chef, vous avez tort de me mépriser... Il me faut plus
de courage pour rester que pour partir...

LE QUARTIER-MAÎTRE

Il ne faut pas un grand courage pour prendre les bouteilles au goulot.

PIQUOISEAU, dans un rêve.

Aden, Bombay, Colombo, Macassar...

LE QUARTIER-MAÎTRE

Tu manques la plus belle occasion de ta vie. Et je parie
deux mois de solde que c'est à cause d'une femme.

PIQUOISEAU

A cause de Fanny! C'est Fanny!

LE QUARTIER-MAÎTRE

La petite des coquillages... Elle n'est pas mal... Mais tu
sais, il y a des femmes sur toute la terre...

PIQUOISEAU

Sur toute la terre, dans tous les ports... Bombay, Colombo,
Macassar...

LE QUARTIER-MAÎTRE

Tu es donc tellement mordu?

### MARIUS

J'ai beaucoup d'affection pour elle, et maintenant je n'ai plus le droit de partir.

### LE QUARTIER-MAÎTRE

Pourquoi?

### MARIUS

Parce que c'était une honnête fille.

### LE QUARTIER-MAÎTRE

Et maintenant, c'est ta promise, et même un peu plus? Bah! Tu sais, j'en connais beaucoup qui ne s'embarrasseraient guère d'une histoire pareille... Mais, enfin, c'est une affaire de conscience... En tout cas, tu as fait une fameuse bêtise et tu la regretteras.

### PIQUOISEAU

Ah! oui, tu la regretteras...

### MARIUS

Jamais plus que maintenant... Je la connais, la vie qui m'attend... Enfin, tant pis... tant pis pour moi.

### LE QUARTIER-MAÎTRE

Et tant pis pour elle... C'est bien malheureux de voir ça...

### PIQUOISEAU

Regarde-le : il a une envie qui le crève!

### MARIUS

Oui, c'est vrai; j'en ai mal aux côtes... Mais on a beau dire : " J'ai envie ", ça serait trop facile de faire toujours

ce qu'on a envie! Non, chef, non, ce n'est pas la peine...
Ne me parlez plus de tout ça... Ça me fait du mal et ça ne
sert à rien...

### PIQUOISEAU

Colombo, Macassar, les îles Sous-le-Vent...

### LE QUARTIER-MAÎTRE

Enfin, ça va... Je vais offrir la place à Chevalier qui est
débarqué depuis trois mois... J'espère qu'il n'aura pas de
promise, celui-là... Allons, au revoir, Marius... Je reviendrai
te dire adieu, au bar, demain matin vers 11 heures...

### MARIUS

Chef, ne vous fâchez pas de ce que je vais dire : si vous
voulez me faire plaisir, ne revenez pas... Il vaut mieux...
Disons-nous adieu tout de suite, parce que... parce que...
vous comprenez... la chose de vous voir partir... de voir,
enfin... Adieu, chef... Bon voyage... Et croyez bien que si
je pouvais... Si je pouvais... Adieu. (Il remonte brusquement
sur la chaussée et s'en va sans se retourner. On l'entend qui appelle.)
Fanny! Fanny!

## Scène II

### PIQUOISEAU, LE QUARTIER-MAITRE
### FANNY

PIQUOISEAU

Malheur... Malheur...

LE QUARTIER-MAÎTRE

Voilà un garçon qui va souvent pleurer la nuit... Allons!
Où c'est qu'on va trouver Chevalier, maintenant?

PIQUOISEAU

Au Sans-Pareil ou peut-être chez Esposito... Oh! lui,
je te garantis, il partira volontiers, celui-là... Il sera vite
prêt.

Fanny s'avance vers eux. Le Quartier-Maître tourne la tête et la voit.

FANNY

Attendez... Non, n'allez chercher personne...

PIQUOISEAU

Celle-là, c'est Fanny... C'est celle qui l'a pris au piège,
c'est la sorcière qui le garde!

FANNY, elle va jusqu'au Quartier-Maître.

Monsieur, ce que vous avez dit : qu'il pleurerait souvent
la nuit, est-ce que vous le pensez vraiment?

LE QUARTIER-MAÎTRE

Mon Dieu, mademoiselle...

PIQUOISEAU, sauvage.

S'il reste, il deviendra tout pâle et dans six mois il crève dans tes bras! Et c'est toi qui l'auras tué! Tué! Tué!

LE QUARTIER-MAÎTRE

Allons, tais-toi! Écoutez, mademoiselle, il est certain que ce garçon ne sera jamais très heureux... Je veux dire dans les débuts, parce que dans la suite, n'est-ce pas, cette idée pourrait lui passer...

FANNY

Non, non, il ne guérira pas...

LE QUARTIER-MAÎTRE

Pour moi, mademoiselle, ce n'est pas à lui que je pense... C'est à vous... Je ne crois pas que Marius puisse être un bon mari, parce qu'il a ça dans le sang, n'est-ce pas?... Évidemment, vous pouvez l'épouser et puis, ensuite, il naviguerait... Mais vous savez, les femmes de navigateurs...

PIQUOISEAU

Tu n'as pas vu comme il pleurait? C'est toi qui t'accroches, c'est toi qui veux manger sa vie...

LE QUARTIER-MAÎTRE, rudement.

Tais-toi!

FANNY

Est-ce que vous ne pourriez pas attendre jusqu'à demain, pour lui trouver un remplaçant?

LE QUARTIER-MAÎTRE

Pourquoi?

FANNY

Il partira peut-être...

LE QUARTIER-MAÎTRE

Ah! Même si vous le permettez, il refusera maintenant...

FANNY

Revenez le chercher demain matin, au bar, vers dix heures... Ne lui dites pas que je vous ai vu... Ne lui dites rien!... (On entend Marius qui appelle "Fanny!") Partez vite... Et venez demain...

PIQUOISEAU

Qu'est-ce que tu vas faire, toi? Dis-le-moi.

FANNY

Va-t'en, voleur! Tu m'as tout pris... (On entend les appels de Marius qui se rapprochent.) Cachez-vous vite... Cachez-vous...

LE QUARTIER-MAÎTRE

Si vous voulez qu'il parte, il vaudrait mieux, peut-être, le lui dire tout de suite...

FANNY

Non, non, demain, demain... Allez-vous-en...

Le Quartier-Maître et Piquoiseau s'en vont entre les blocs. Marius tout près, appelle "Fanny!" Fanny répond.

## Scène III

## MARIUS, FANNY

FANNY

Oh! Marius!

Marius paraît sur la chaussée.

MARIUS

Eh bien! Tu m'as fait peur! Mais où étais-tu passée?

FANNY, monte vers lui.

J'avais voulu venir à ta rencontre parce que tu restais bien longtemps et j'ai dû te croiser sans te voir...

Elle met sa tête sur son épaule.

MARIUS

On dirait que tu as pleuré.

FANNY

J'ai eu peur... Je me croyais perdue...

MARIUS

Nigaud, va...

FANNY

Qu'est-ce qu'il te voulait, Piquoiseau?

MARIUS

Bah! Il voulait m'emprunter cent sous. Je les lui ai don-
nés, naturellement...

FANNY

Tu as bien fait... Rentrons chez moi.

MARIUS

Et les voisins?

FANNY

Ils sont couchés maintenant... Ils sont couchés...

Elle détourne la tête pour pleurer.

MARIUS

Qu'est-ce que tu regardes?

FANNY

Ces lumières qui tournent... C'est drôle, ces lumières...

MARIUS

Le phare blanc, c'est Planier... Et le feu rouge, là-bas à
la pointe, c'est le phare du cap Couronne...

FANNY, brusquement.

Dis, tu n'aimeras jamais une autre femme autant que
moi?

MARIUS

Mais non, ma petite Fanny... Tu le sais bien... Jamais
aucune autre femme. Jamais...

FANNY

Eh bien, je ne te demande rien de plus... Viens... rentrons... rentrons...

Soudain, tout près, éclate le cri d'une sirène. Marius tressaille. On voit entrer sur la gauche une lueur qui vient d'un grand navire de l'autre côté de la jetée. Il doit passer tout près et l'on voit ses cheminées d'où sortent des flammes. Sur la tour du sémaphore, une fenêtre s'ouvre, un homme sort sur le balcon. Il se penche, il regarde le bateau qui part. Marius monte sur la chaussée. Il marche, en suivant le bateau.

MARIUS, il crie.

C'est le *Manouba!* (Il fait encore quelques pas.) Dans quatre jours, ils seront en vue du Cap Vert!

Dans la lueur qui vient du navire, il crie, il agite son chapeau. Au premier plan, Fanny le regarde : elle s'assoit sur un rocher, et pleure.


RIDEAU

# ACTE IV

Le bar, à 8 heures du matin.

Dehors, sur la terrasse, au soleil, Escartefigue, Panisse et le chauffeur qui regardent vers la droite. Dans le bar, M. Brun qui trempe un croissant dans son café au lait. Au fond, César se rase, presque sur le trottoir, avec un énorme rasoir. Il a suspendu un petit miroir aux montants qui, en hiver, soutiennent les vitres.

## Scène première

ESCARTEFIGUE, PANISSE, LE CHAUFFEUR,
M. BRUN, CÉSAR


ESCARTEFIGUE, il rit.

Et ils n'arrivent pas à le faire descendre!

M. BRUN

Qui ça?

CÉSAR

Piquoiseau. Il s'était caché dans la soute au charbon de
la *Malaisie*, pour partir avec eux, mais on l'a vu...

ESCARTEFIGUE

Ils lui ont fait la chasse sur le pont, et maintenant le voilà
quillé sur la vergue de misaine!

CÉSAR, il se savonne de nouveau.

Il a profité du discours du maire pour monter à bord
par les chaînes de l'ancre.

M. BRUN

Et à propos de quoi le maire a-t-il fait un discours?

ESCARTEFIGUE, méprisant.

On se le demande!

CÉSAR

A 7 heures, la *Malaisie* est venue se mettre à quai devant
la mairie. Sur le pont, il y avait tout l'équipage en blanc,
le maire est venu sur le balcon avec plusieurs conseillers
et il a fait un discours, que je vous dis que ça! C'était superbe!

ESCARTEFIGUE, envieux.

Je trouve tout de même un peu fort qu'on fasse un discours pour ce bateau et jamais pour les autres.

CÉSAR

Tu voudrais peut-être une cérémonie à chaque voyage
de ton sabot?

M. BRUN

Et puis ceux-là vont en mission officielle. Ce n'est pas
pour le bateau qu'on a fait le discours. C'est pour les savants
qui sont à bord...

CÉSAR, sceptique.

Oh! des savants!

M. BRUN

Mais oui, des savants.

CÉSAR

J'en ai vu passer quatre, ce matin. Des hommes de trente-
cinq ans, sans barbe, sans lunettes, ils n'avaient pas l'air
plus savants que moi.

ESCARTEFIGUE, avec un mépris souverain.

Ils n'avaient même pas l'uniforme!

M. BRUN, joyeux.

C'est tout dire!

ESCARTEFIGUE

Tiens, ils viennent d'allumer les feux. Ils pourrons partir dans une heure.

LE CHAUFFEUR, il regarde le bateau.

Cette fois, ils l'ont bien...

ESCARTEFIGUE

Et il se débat...

LE CHAUFFEUR

On l'attache avec une corde... (A ce moment, le chauffeur du ferry-boat est au comble de la joie.) Ils le débarquent avec la grue dans la cage à poulets.

ESCARTEFIGUE

César, regarde-moi ça!

César et M. Brun courent à la terrasse. On entend au loin des rires et des cris. Tous regardent en l'air en riant.

LE CHAUFFEUR, la tête renversée en arrière.

A Gonfaron, les ânes volent!

ESCARTEFIGUE

O Piquoiseau, c'est le moment de piquer les oiseaux!

A ce moment, on entend, aérienne et étranglée, la voix de Piquoiseau.

LA VOIX

Assassins!

L'ÉQUIPAGE, invisible.

Bravo!

LE CHAUFFEUR

Tiens-toi aux branches.

LA VOIX

Sauvages! Vous êtes des sauvages!

Le cercle de la terrasse s'élargit. On voit paraître au ras de la tente deux pieds énormes et noirs qui s'agitent désespérément. Puis tout le corps de Piquoiseau qui écume. Il porte sous son bras sa lunette aplatie et tordue, il serre sur son cœur son petit voilier démâté. Il est affreusement noir de charbon. Il touche terre au milieu des rires et des bravos de l'équipage invisible. Il défait le nœud coulant, montre le poing au navire et s'enfuit.

M. BRUN

Pauvre homme!...

ESCARTEFIGUE

Bien fait!

PANISSE

Pourquoi dis-tu que c'est bien fait?

ESCARTEFIGUE

Ça serait trop commode s'il suffisait de se cacher dans la soute au charbon pour devenir un marin!

PANISSE, brusquement.

D'abord, toi, ne parle plus de marine, parce que tu commences à m'énerver.

ESCARTEFIGUE, ahuri.

Et pourquoi, s'il te plaît?

PANISSE

Parce que ton bateau n'est pas un bateau. C'est un flotteur, et rien d'autre. Tu es un capitaine de bouée, voilà ce que tu es.

ESCARTEFIGUE, ahuri, à César.

Tu entends ça?

CÉSAR, il referme son rasoir.

Au fond, c'est presque vrai! Ton *ferry-boat*, c'est une bouée qui a une hélice.

ESCARTEFIGUE

Il en a même deux.

PANISSE

Justement. Un bateau qui a une hélice à chaque bout, c'est un bateau qui marche toujours à reculons. Il n'a pas d'avant, ton bateau. Il a deux culs. Et toi, ça fait trois!

Il disparaît, les mains dans les poches, la tête baissée.

## Scène II

## LES MÊMES, moins PANISSE

ESCARTEFIGUE, ahuri.

Qu'est-ce qu'il a, comme ça, à me décrocher des épi-
grammes?

CÉSAR, qui rince son visage dans le petit bassin du comptoir.

Fanny, mon cher... Toujours Fanny!

M. BRUN

Chagrin d'amour!

CÉSAR

Oh! Écoute, Félix, tu te prends pas pour Jean Bart,
tout de même?

ESCARTEFIGUE

Non.

CÉSAR

Parce que tu as volé une médaille à Piquoiseau!

ESCARTEFIGUE

Ne plaisante pas avec ça. C'est ma médaille des sauve-
teurs du quai du Canal.

CÉSAR

Qu'est-ce que tu as sauveté?

ESCARTEFIGUE

Ce que j'ai sauveté? Le jour où l'omnibus du Faro est tombé dans le Vieux Port... eh bien, c'est moi!...

CÉSAR

C'est toi?

ESCARTEFIGUE

Oui, c'est moi qui ai donné l'alarme...

CÉSAR

Oh! pardon, Félix, tu es tellement familier que j'oublie toujours que tu es un héros.

M. BRUN

Dites donc, capitaine, je crois qu'il vous met en boîte.

ESCARTEFIGUE

Oh! il vaut mieux en rire.

M. BRUN

Et c'est ce que vous faites?

ESCARTEFIGUE, sinistre.

C'est ce que je fais! J'en ris! J'en ris!

Il sort avec une grande dignité.

## Scène III

### LES MÊMES, moins ESCARTEFIGUE,
### puis LE QUARTIER-MAITRE

CÉSAR

Il ne fait pas beaucoup de bruit quand il rit. (On entend des fanfares.) C'est beau la musique!

Il bâille horriblement.

M. BRUN

Vous avez déjà sommeil?

CÉSAR

Mon cher, je suis ici depuis 3 heures du matin, et je vous déclare qu'il va être bientôt 9 heures!

A ce moment, paraît sur le seuil un homme en uniforme de marine qui porte sur sa manche le galon de quartier-maître. C'est celui qu'on a vu sur la Jetée.

LE QUARTIER-MAÎTRE, c'est un Breton.

Bonjour, patron!

CÉSAR

Bonjour, chef!

M. BRUN

Eh bien, ce coup-ci, ça y est, vous partez!

LE QUARTIER-MAÎTRE

Dans une heure, l'hélice va tourner et nous quittons Marseille.

CÉSAR

Et pour longtemps?

LE QUARTIER-MAÎTRE

Cinq ans!

M. BRUN, rêveur.

Cinq ans sur la mer!

CÉSAR

Et vous venez boire le coup du départ?

LE QUARTIER-MAÎTRE

Naturellement!

CÉSAR

Qu'est-ce que ça sera?

LE QUARTIER-MAÎTRE

Une fine à l'eau.

CÉSAR

C'est moi qui vous l'offre, et de la meilleure. Vous aussi, monsieur Brun.

M. BRUN

Non, merci.

CÉSAR, solennel.

Donc, nous allons boire le coup du départ. C'est émouvant, le coup du départ. On quitte sa famille, ses amis, ses

clients. On part pour les mers inconnues d'où l'on est
presque sûr de ne pas revenir. Alors on prend son verre
d'une main qui ne tremble pas. On boit le dernier coup
sur la terre ferme... le coup du départ... C'est émotionnant...
A votre santé...

M. BRUN

Vous ne comptez pas partir, vous?

CÉSAR

Moi? Oh! non. Mais lui s'en va, ça suffit pour l'émotion.

LE QUARTIER-MAÎTRE, pendant que César remplit les verres.
Votre fils n'est pas là?

CÉSAR

Oui, mais il doit encore dormir. Je vais l'appeler. (Il
s'approche de la porte de la chambre et crie.) Marius! O Marius,
grand feignant, de quoi tu rêves?

M. BRUN

De ses amours!

CÉSAR

Marius, 9 heures! (Silence.) Il faut que j'aille lui tirer la
couverture. (Il essaie d'ouvrir la porte, mais elle est fermée à clef.)
Fermée à clef! Ho, ho, ça y est! Dites, monsieur Brun,
vous connaissez la manœuvre, il a encore découché.

LE QUARTIER-MAÎTRE

Il est peut-être allé faire un tour sur le quai?

CÉSAR

Allons donc! Il est chez sa galante, voilà tout. L'autre

soir, vous l'avez entendu sortir. Cette fois, vous allez voir son retour : une vraie scène de comédie!

M. BRUN

Pourquoi?

CÉSAR

Il revient par la fenêtre, il se décoiffe et puis il entre ici, comme quelqu'un qui se réveille, en faisant les petits yeux, et il s'étire et il bâille et il dit : " Bonjour, quelle heure est-il, papa? "

LE QUARTIER-MAÎTRE

S'il n'est pas là, je crains bien de ne pas le revoir, parce qu'il faut que je retourne à bord...

CÉSAR

Je lui ferai vos amitiés.

LE QUARTIER-MAÎTRE, il paraît ennuyé.

Eh bien, oui, dites-lui... que je suis parti.

CÉSAR

Il regrettera de ne pas vous avoir vu...

LE QUARTIER-MAÎTRE

C'est embêtant... (Il hésite.) Je reviendrai peut-être dans un moment, si je peux trouver un motif. Au revoir, patron. Au revoir, monsieur Brun.

M. BRUN

Au revoir, chef.

Le Quartier-Maître sort.

CÉSAR

Adieu, chef. Bon voyage et bonne santé.

M. BRUN

Allons, il faut tout de même y aller.

CÉSAR

Où?

M. BRUN

Au cap Pinède.

CÉSAR

Vous travaillez le jour du 14 juillet?

M. BRUN

Il arrive des bateaux tous les jours! Marquez-moi mon café et mes deux croissants.

CÉSAR

Entendu. Vous viendrez faire une petite manille à midi?

M. BRUN

Probable.

CÉSAR

Au revoir, monsieur Brun. (Il sort. César reste seul un instant. Il bâille. Il rêve. A lui-même.) Allez, ça recommence... les pétarades... Il y en a comme ça pour toute la journée! (Il va jusqu'à la porte et il s'étire.) O Marius, tu dis que tu as pitié d'elle! Mais depuis hier au soir tu as eu le temps d'avoir pitié, et à neuf heures tu devrais bien avoir pitié de ton père qui ne peut plus ouvrir les yeux.

## Scène IV

## CÉSAR, HONORINE

*Il s'installe sur la chaise longue et fait des efforts pour ne pas s'endormir. Soudain, entre Honorine. Elle est toute pâle et très agitée. Elle porte à la main une ceinture d'homme en peau de daim.*

HONORINE

César!

CÉSAR, il tressaille.

Quoi?

HONORINE

Regardez ça!

CÉSAR

Pourquoi!

HONORINE

Vous la reconnaissez, cette ceinture?

CÉSAR, il regarde un instant.

Je crois qu'elle est à Marius. (Il voit qu'elle pleure. Il s'inquiète.) Qu'est-ce qu'il y a? Un accident?

HONORINE

Risque pas qu'il lui arrive rien, à ce voyou! (Elle pleure.) Et encore, j'aime mieux que ce soit lui qu'un autre. César, il faut les marier tout de suite!

CÉSAR

Voyons, Honorine, ne pleurez pas comme ça! Qu'eſt-ce qu'il y a?

HONORINE, à elle-même.

Ah! mon Dieu! Quelle surprise! Hier soir, j'étais partie pour Aix, comme tous les mercredis...

CÉSAR, frappé.

Vous allez à Aix tous les mercredis?

HONORINE

Oui, chez ma sœur.

CÉSAR

Ayayaïe!

HONORINE

Et au lieu de revenir par le train de 10 heures, comme d'habitude, j'ai profité de l'automobile de M. Amourdedieu que j'avais rencontré sur le Cours... J'arrive à 7 heures; je vais droit à la maison... Sur la table, qu'eſt-ce que je vois? Deux petits verres, une bouteille de liqueur, et sur une chaise, cette ceinture...

CÉSAR

Ayayaïe! J'aurais jamais pensé à ça! Mais enfin, une ceinture, ça ne veut rien dire. Et puis?

HONORINE, elle se mouche.

Quand je vois ça, le sang me tourne... Je vais jusqu'à la chambre de Fanny, je pousse la porte... Ah! brigand de sort! Sainte Mère de Dieu, qu'eſt-ce que je vous ai dit? Ma pitchouno couchado émè un hommé, aquéou brigand de Marius, aquéou voulur...

CÉSAR

Qu'est-ce qu'ils ont dit?

HONORINE

Ils ne m'ont pas vue, ils ont rien pu dire. Ils dormaient... J'ai eu tellement honte que je suis partie sans faire de bruit.

CÉSAR, ennuyé mais souriant malgré lui.

Marius, ô Marius, qu'est-ce que tu as fait là, vaï?

HONORINE

Elle a dix-huit ans, César! Dix-huit ans! Elle finira comme sa tante Zoé!

CÉSAR

Ne me dites pas ça, Norine, parce que ça ne m'encourage guère à donner mon consentement... Allons, Norine, ne vous faites pas tant de mauvais sang. Après tout, il vaut mieux ça que si elle s'était cassé la jambe.

HONORINE

Qui l'aurait dit? Une petite Sainte-N'y-Touche, qui faisait la pudeur, qui faisait l'enfant!

CÉSAR

Pourvu qu'elle ne le fasse pas pour de bon!

Il rit.

HONORINE, indignée.

Et vous avez le courage de rire, gros sans cœur! Vous ne voyez pas que c'est affreux pour moi, ce qui se passe? Je claque des dents, je suis toute estransinée!

CÉSAR, prépare un verre.

C'est vrai, peuchère. Qu'est-ce que vous buvez?

HONORINE, sanglotant.

Un mandarin-citron. (Elle pleure.) Ah! mon Dieu! Ah! mon Dieu!

CÉSAR

Allez, vaï, buvez un coup et puis examinons la situation.

Elle boit à petites gorgées.

HONORINE, brusquement.

La situation, elle est tout simple : dès que je vois ma fille, d'un pastisson je lui coupe la figure en deux.

CÉSAR

Allons, allons... vous n'allez pas la tuer pour ça!

HONORINE, explosant de fureur.

A coups de barre! A coups de barre!

Elle a pris le gourdin qui est sous le comptoir et elle veut sortir. César la retient.

CÉSAR

Norine, voyons, Norine...

HONORINE

César, lâchez-moi, je ne me connais plus!

CÉSAR, il la tient par les poignets.

Non, asseyez-vous... asseyez-vous, Norine... et pensez un peu à vous, ça vous calmera.

HONORINE, qui sanglote.

Est-ce que j'ai le temps de penser à moi?

CÉSAR

Ce serait pourtant le moment! Si votre mère vous avait tuée à coups de barre, il y a vingt-cinq ans, quand vous étiez fiancée avec votre pauvre frisé...

HONORINE, avec violence.

Mais nous, ce n'était pas la même chose... Nous habitions sur le même palier et il n'y avait qu'un couloir à traverser... Et puis, c'est moi qui allais chez lui... Tandis que votre Marius... Et puis, elle ne savait pas qu'on l'avait déjà fait dans la famille!

CÉSAR

Bah! Nous allons les marier dans quinze jours, et voilà tout! Asseyez-vous, Norine. Calmez votre émotion... Ça ne vaut rien pour la santé.

HONORINE

Es un pouli pouar voste Marius! Aqueou salo que venié à l'oustaou coumo moun enfant... De tout sûr, il l'a prise de force!

CÉSAR

Allez, elle a pas dû crier bien fort! Buvez un coup!

HONORINE

Ça vous fait rire, espèce d'indigne!

CÉSAR

C'est la jeunesse, ça, Norine. Ça s'en va vite!

HONORINE

Je le sais bien... Mais tout de même!

CÉSAR

Ça s'en va vite et ça ne revient plus... (Il prête l'oreille.)
Té, j'entends Marius. Il vient de rentrer par la fenêtre...

HONORINE

Il vaut mieux que je ne le voie pas, parce que je le graffi-
gnerais!

CÉSAR

Non, non, ne le graffignez pas... Allez-vous-en... Allez,
partez, Norine.

HONORINE

Voyez dans quel état je suis!...

CÉSAR

Tenez, entrez par la cuisine, vous sortirez par la petite
porte de l'autre côté. (César la pousse doucement. Avec sollicitude.)
Ne pleurez plus. On les mariera. Si vous voulez vous essuyer
les yeux, prenez le torchon des mains. Il est propre, je viens
de le changer.

Elle sort. Au bout d'un instant, entre Marius.

## Scène V

### CÉSAR, MARIUS

*Marius cligne des yeux. Il a les cheveux hérissés. Il prend la mine de quelqu'un qui vient de s'éveiller.*

MARIUS

Bonjour, papa!

CÉSAR

Bonjour, petit. Tu as fini par t'éveiller?

MARIUS

Oui... Quelle heure est-il?

CÉSAR

Neuf heures passées.

MARIUS

Oh! Coquin de sort! J'ai lu dans mon lit, hier au soir... J'ai lu assez tard... Quand je me suis endormi, le jour se levait...

CÉSAR

Je te l'ai dit vingt fois que c'est fatigant de lire si tard... Tu n'as pas très bonne mine. Tu es pâle, tu as les yeux battus...

MARIUS

Tu crois?

CÉSAR

Si je ne t'avais pas vu sortir de ta chambre, je me demanderais d'où tu viens!

MARIUS

Tu m'as appelé à 7 heures?

CÉSAR

Oui, je t'ai appelé, mais vouatt! Tu as continué à dormir... On t'entendait ronfler d'ici...

MARIUS

Ça c'est pas possible.

CÉSAR

Pourquoi?

MARIUS, très gêné.

Parce que... je ne ronfle jamais.

CÉSAR

Tu as ronflé si fort que tous les clients en rigolaient. J'ai voulu aller te réveiller, mais tu avais fermé à clef.

MARIUS

Oui, je viens de m'en apercevoir... J'ai dû tourner la clef machinalement...

CÉSAR

Eh oui, machinalement... Eh bien, on va déjeuner ensemble... Prends ton café! Les croissants sont tout chauds.

MARIUS

Parfait.

Il va chercher une tasse de café fumant. César va soulever la portière de la cuisine.

CÉSAR

Félicie, mettez-moi une côtelette sur le feu et portez-moi le pot d'anchois avec les olives noires. (A Marius qui passe en portant sa tasse.) On dirait que tu perds ton pantalon?

MARIUS

Tu crois?

CÉSAR

C'est une impression.

MARIUS

C'est vrai. J'ai dû maigrir.

CÉSAR

Tu lis trop. Tu as tort de lire toute la nuit. Si tu continues à lire comme ça, tu finiras par devenir maigre comme un stoquefiche. Pourquoi ne mets-tu pas une ceinture?

MARIUS

C'est vrai, tiens. J'en achèterai une.

Pendant ces répliques, Félicie est entrée avec le pot d'anchois qui est énorme, du pain et une bouteille d'huile. César se sert.

CÉSAR

Remportez le pot d'anchois, parce qu'il y a toujours des clients qui m'en chipent la moitié! Félicie, vous me servirez la côtelette dans la cuisine.

Elle sort. Tous deux mangent. César regarde son fils avec un sourire plutôt satisfait. On voit Honorine qui ouvre l'éventaire. Marius la regarde avec étonnement.

MARIUS

Tiens, Honorine est rentrée?

CÉSAR

Oui. Elle est arrivée en automobile à 7 heures du matin. (Marius paraît très mal à son aise. Un temps. César le regarde.) Sacré Marius, va!

MARIUS

Pourquoi me dis-tu ça?

CÉSAR

Pour rien! Sacré Marius! Tu as bon appétit, ce matin.

MARIUS, très gêné.

Oui, ça va.

CÉSAR

Dis donc, sacré Marius, où en es-tu avec ton ancienne maîtresse? Tu sais bien, celle que tu gardais par pitié? La suicidée? Tu la vois toujours?

MARIUS

Oui, naturellement.

CÉSAR

Oh! mais, dis donc, tu es un gaillard redoutable! Quel lecteur!

MARIUS

Pourquoi?

CÉSAR

Pour rien. Sacré Marius! (Un temps.) Tu lui as dit que tu allais te marier?

MARIUS

Non... Pas encore... Je lui ai bien laissé comprendre, n'est-ce pas, qu'un jour ou l'autre...

CÉSAR

Tout ça, c'est bien gentil de ta part envers cette personne... mais c'est peut-être moins gentil envers Fanny.

MARIUS

Pourquoi?

CÉSAR

Parce que tu la fais attendre, cette petite. Est-ce que **tu** es décidé à l'épouser?

MARIUS

Oui, j'y suis décidé.

CÉSAR

Alors, pourquoi ne pas le dire à vos parents?

MARIUS

Eh bien, il y a quelque chose que je ne comprends pas. C'est Fanny qui retarde toujours la date.

CÉSAR

Elle?... Pourquoi?

MARIUS

Je ne sais pas. Quand je lui en parle, elle me dit que **nous** avons bien le temps.

CÉSAR

C'est bizarre!

MARIUS

Oui, c'est bizarre. Je n'y comprends rien. Par exemple, hier soir, je l'ai vue.

CÉSAR, feignant la plus grande surprise.

Tu l'as vue? Et quand?

MARIUS

Après dîner, quand je suis sorti, tu sais...

CÉSAR

Ah! C'est ça ton cinéma?

MARIUS

Nous y sommes allés ensemble.

CÉSAR

Oui, je comprends. Et alors?

MARIUS

Au commencement de la soirée, elle me parlait du mariage — elle préparait déjà la maison dans sa tête — enfin, quoi, c'était une chose décidée.

CÉSAR

Une chose faite pour ainsi dire.

MARIUS

Eh oui... Et tout d'un coup, à la fin de la soirée, ça change de musique. Elle me dit brusquement : Je ne sais pas si je ne suis pas trop jeune pour me marier... Nous ferions mieux d'attendre encore... Je ne sais si je t'aime assez et cœtera, et cœtera...

CÉSAR

Elle t'a dit ça... après le cinéma?

MARIUS

Oui, après le cinéma.

CÉSAR

Peut-être qu'elle n'a pas aimé le film.

MARIUS

Je n'y comprends rien. Je me demande si elle ne regrette pas Panisse...

CÉSAR, il hausse les épaules.

Allons donc! Elle se fout bien de ce pauvre vieux!

MARIUS

Mais alors, pourquoi...

CÉSAR, il le coupe.

Parce que c'est ta faute.

MARIUS

Ma faute?

CÉSAR

Écoute, Marius : tu ne connais pas encore bien les femmes, mais moi, je vais te les expliquer. Les femmes, c'est fier, et c'est délicat. On a beau ne rien leur dire : ça voit tout, ça comprend tout, ça devine tout. Hier, quand cette petite, au commencement, t'a parlé de votre mariage, c'était pour voir la tête que tu ferais : et toi, comme tu n'es pas pressé, tu as dû lui offrir, sans te rendre compte, un mourre de dix pans de long. Alors, té, par fierté, elle bat en retraite, elle dit : " Je crois que je suis trop jeune... Et nous avons bien le temps... " Mais moi je suis sûr que si tu lui disais que la messe est commandée pour demain matin, elle serait à l'église avant le bedeau.

MARIUS

Tu as peut-être raison.

CÉSAR

Pas peut-être, j'ai raison.

MARIUS

Je vais lui en parler.

CÉSAR

Écoute-moi, mon petit... Dès que tu verras Fanny, parle-
lui sérieusement. Oui. Parle-lui-en le plus tôt possible,
et toi tu devrais penser à l'histoire de Zoé, qui n'était pas
plus malhonnête qu'une autre.

MARIUS

Quel rapport peut avoir cette histoire, que d'ailleurs je
ne connais pas?...

CÉSAR

Ah! tu ne la connais pas? Eh bien, Zoé était une petite
fille très jolie, très coquette et qui ne pensait pas à mal.
Elle travaillait à la fabrique d'allumettes... Je la vois encore,
tiens, quand elle passait là devant, toute bravette sous son
grand chapeau de paille... Tous les hommes la regardaient...
Elle avait une espèce de charme... Elle souriait à tous. Mais
elle restait sage comme une image... Et puis un jour, ça
lui a pris pour un matelot espagnol... Elle croyait qu'ils
allaient se marier... qu'il ne repartirait plus... alors ils se
sont donné un peu d'avance... Et un beau soir, il est parti...

MARIUS

Il l'a abandonnée?

CÉSAR

Oui. Alors, Zoé... (Un grand geste désolé indiquant que la bride
était lâchée.) Qu'est-ce que tu veux, quand un homme les a

trompées, ça les dégoûte de notre nature, elles ne peuvent plus aimer personne, ça fait qu'elles deviennent des filles des rues... Et puis, quand elles ont commencé, elles n'ont plus rien à perdre! Marius, l'honneur, c'est comme les allumettes : ça ne sert qu'une fois...

MARIUS

Pourquoi me racontes-tu ça?

CÉSAR assez rudement.

C'est pour te dire que Fanny, il ne faut pas t'en amuser. Tu comprends?

MARIUS

Mais oui, je te comprends!

CÉSAR

Bien entendu, je ne soupçonne pas sa vertu! Je n'ai rien vu, je ne sais rien. Mais s'il y a eu entre vous des conversations... des caresses... eh bien, il vaut mieux vous marier le plus tôt possible. Crois-moi...

MARIUS, très gêné.

Je vais lui en parler.

CÉSAR

Oui, parle-lui-en et insiste le plus que tu pourras, parce que... si tu veux mon idée... le matelot de Zoé, c'était pas un homme.

Il se lève, ferme son couteau, regarde Marius gravement, et se dirige vers la porte de la cuisine. Comme il va sortir, il fouille dans la poche de son tablier : il en tire la ceinture. Sans regarder son fils, il la jette devant lui, sur la table, et sort.

## Scène VI

## MARIUS, FANNY, puis HONORINE

Marius, confus, regarde la ceinture, puis la porte où son père est parti. Soudain, sur la porte du bar, paraît Fanny. Marius se lève brusquement, et va vers elle.

### MARIUS

Fanny!

### LA VOIX DE CÉSAR, du fond de la cuisine.

Marius! Apporte-moi la bouteille de vin qui est sur le comptoir... Le vin rouge!

### MARIUS

Oui. (Tout en prenant la bouteille, il dit à voix basse.) Ta mère est rentrée...

### FANNY

Ma mère est rentrée? Quand?

### MARIUS

Ce matin. Attends.

Il va porter la bouteille à la cuisine. Fanny le suit jusqu'à la porte. Elle attend qu'il sorte. A ce moment, Honorine, portant à deux mains un panier d'huîtres, paraît sur la porte. Elle pose le panier à terre, et, les poings sur les hanches, elle interpelle Fanny, avec le ton d'une femme violente qui tente de contenir sa colère.

HONORINE

Et alors?

> Fanny se retourne brusquement, et ne peut dire un mot.

HONORINE

C'est maintenant que tu arrives?

FANNY

Tiens... Tu es là?

HONORINE

Oui, je suis là. Ça t'étonne, n'est-ce pas? Eh bien, je suis là, et je suis même arrivée depuis longtemps.

FANNY

Je suis en retard parce que j'ai fait le ménage avant de venir.

HONORINE

Ah! tu as fait le ménage?... Il doit être bien fait. Et pendant ce temps, l'éventaire est fermé?... Et c'est à 9 heures du matin, quand la meilleure clientèle est partie, que tu viens l'ouvrir? (Elle esquisse un grand geste menaçant.) Tout are ti manti un pastisson qué ti déviro la testo! Descends à la cave, va chercher les paniers, petite sainte nitouche, et surtout commence par trier les huîtres en bas, pour ne pas jeter devant tout le monde celles qui sont mortes. (Fanny, sans dire un mot, descend à la cave. Honorine commence à disposer l'étalage. Marius revient au comptoir. Honorine le regarde et murmure des injures à son adresse.) Et voilà l'autre Judas! Petit voleur, va... Comme il a l'air vicieux!

> A ce moment paraît sur la porte le quartier-maître de la *Malaisie*.

## Scène VII

## MARIUS, LE QUARTIER-MAITRE

LE QUARTIER-MAÎTRE

Tu es prêt?

MARIUS

Prêt à quoi?

LE QUARTIER-MAÎTRE

A partir.

MARIUS

Non, chef, non. Je vous ai dit non hier au soir. Vous n'avez pas de remplaçant?

LE QUARTIER-MAÎTRE

Non.

MARIUS

Ah vous avez eu tort de venir, surtout pour me dire ça... Non, chef, non, non, je ne pars pas. Non, non.

LE QUARTIER-MAÎTRE

Bon. Bon. Tant pis pour toi. Je croyais que tu aurais compris ce matin. Tant pis.

MARIUS

Je ne peux pas... Je ne peux pas...

LE QUARTIER-MAÎTRE, il fait un pas en arrière, et montre le quai.

Regarde-le donc, ce bateau... Regarde-le, comme il est pur, comme il est svelte... Regarde...

MARIUS

Il est là?

LE QUARTIER-MAÎTRE

Il est à quai, là, devant la mairie. On le voit d'ici... Nous finissons d'embarquer des caisses... La moitié de l'équipage est à terre, il faut que j'aille siffler pour les appeler... Alors, tu restes?

MARIUS

Oui.

LE QUARTIER-MAÎTRE

Si tu changes d'idée, tu n'auras que trois pas à faire.

MARIUS

Je ne changerai pas d'idée.

LE QUARTIER-MAÎTRE

Tant pis. Adieu, Marius.

MARIUS

Adieu, chef.

Le quartier-maître va sortir. Sur le seuil il s'arrête.

LE QUARTIER-MAÎTRE

Tu as tort.

Il sort. Marius reste seul. Il essuie un verre, la tête baissée, les épaules voûtées. On entend le bruit de la grue. Au-dehors, passent des hommes qui portent des caisses sur lesquelles on voit en grosses lettres : la *Malaise*. Il laisse tomber le verre qui se brise. Il fait quelques pas comme pour aller voir le bateau. Puis il s'arrête; il revient en arrière. On sent en lui une émotion violente. Entre Piquoiseau lamentable.

## Scène VIII

## MARIUS, PIQUOISEAU

### PIQUOISEAU

Toi qu'on attend, tu ne pars pas! Ah! C'est injuste!

Il pleure. On entend des coups de sifflets, une sirène sonne au loin. Piquoiseau parle soudain.

Marius, c'est à cause d'elle que tu ne pars pas? Pourquoi, pourquoi? Elle ne t'aime pas, elle ne veut pas de toi, elle te laisserait partir... Elle aime mieux Panisse... Demande-lui...

### MARIUS

Tais-toi, tais-toi...

Soudain un coup de sifflet ébranle l'air. Marius tressaille. Il n'ose pas s'approcher pour regarder, mais d'une voix qui veut être naturelle, il demande à Piquoiseau :

Ils partent?

### PIQUOISEAU

Non. Ils rassemblent l'équipage... Viens voir comme il est beau ce navire.

### MARIUS

Ce n'est qu'un bateau qui s'en va. D'autres sont partis, d'autres partiront.

PIQUOISEAU

Sainte Vierge de la mer, faites qu'une fois encore je remonte sur les bateaux, que je sente bouger les planches du pont, que j'entende claquer les voiles, que je respire le soleil sur la mer!

MARIUS

Et tu t'imagines qu'elle t'entend?

PIQUOISEAU

Que je revoie les grosses étoiles, de l'autre côté de la terre, que je tire encore une fois les longues rames des chaloupes quand nous irons chercher l'eau douce sur les îles pleines d'oiseaux...

> Un second coup de sifflet, plus puissant que le premier. Marius tressaille violemment.

MARIUS, il crie.

A quoi ça sert de siffler comme ça!

> Un sanglot le secoue. Il s'enfuit dans sa chambre. On entend qu'il ferme la porte à clef. Fanny sort de l'escalier et s'avance. Elle regarde Piquoiseau, elle regarde le bateau, puis elle va écouter à la porte de Marius, et deux grosses larmes coulent sur son visage. Puis elle s'assoit sur la banquette, comme écrasée sous sa douleur. Honorine l'a vue. Elle entre, les poings sur les hanches.

## Scène IX

## FANNY, HONORINE

HONORINE

Eh bien, tu les apportes ces paniers, ou il faut que j'aille les chercher? (Elle entre dans le bar. Elle regarde Fanny qui paraît ne pas avoir entendu.) Et alors, je te parle!

FANNY, elle voit sa mère, elle se lève.

Voilà... je viens.

Elle veut passer, Honorine la retient par le bras et la regarde bien en face.

HONORINE

Qu'est-ce que tu as?

FANNY, elle retient ses larmes.

Mais... je n'ai rien.

HONORINE

Ah! tu n'as rien!... Tu crois que je ne le vois pas que tu pleures?... (Fanny fond en larmes.) Ah! tu peux pleurer après ce que tu as fait, fille perdue!... (Un petit temps. Fanny s'est assise sur une chaise, son bras replié sur le dossier, la figure au creux de son coude.) Je suis allée à la maison à 7 heures ce matin. (Fanny la regarde avec terreur.) Tu as compris?

Fanny se jette contre sa mère en pleurant.

### FANNY

Maman, pardonne-moi.

### HONORINE

Ah! non, je ne te pardonne pas, parce que tu n'as pas d'excuse...

### FANNY

Maman...

### HONORINE, elle pleure.

Toi, ma fille... Est-ce que ça n'aurait pas été plus simple et plus honnête de vous marier d'abord, puisque tout le monde était d'accord? Va, tu es bien le portrait de ma sœur Zoé, qui a déshonoré la famille et qui a fait mourir ma mère de chagrin.

### FANNY

Maman, je t'en supplie, ne pleure pas... Je t'expliquerai...

### HONORINE

Oh! va, je n'ai pas besoin d'explications. Tu as fait ça par vice, comme ma pauvre sœur. Oui, par vice, puisque tu aurais pu le faire honnêtement, et, après celui-là, ce sera un autre... (Brusquement.) Ah! mais non! Je ne serai pas si bête que ma pauvre mère... Je sais où ça mène, ces histoires-là... Au lieu de pleurer comme une imbécile... (Elle essuie ses yeux.) Il faut qu'il te demande tout de suite, avant midi, tu entends? Tu peux le lui dire, à ton Marius. Qu'il se dépêche, sinon, gare à lui. Je n'ai encore jamais touché un revolver, mais j'aurai vite fait d'apprendre... Et d'abord, tiens, c'est moi qui vais lui parler!

> Elle se dirige vers la porte de la chambre, Fanny la retient avec une énergie désespérée.

FANNY

Maman!... N'y vas pas, ne lui dis rien... Je t'en supplie...

HONORINE

Et pourquoi?

FANNY

Tu peux faire mon malheur, si tu parles... Laisse-moi faire. Tu ne sais rien, tu ne peux pas comprendre...

HONORINE

Il a voulu te voir dormir, eh bien, maintenant, qu'il t'épouse!... Il n'y a qu'un mari qui puisse te sauver... Il faut qu'il te demande avant ce soir, tu entends? Sinon, ce n'est plus la peine que tu rentres à la maison, tu n'es plus ma fille. Je ne veux plus te voir. Je m'enferme à clef dans ma chambre et je me laisse mourir de larmes!

FANNY

Maman...

HONORINE

Pourquoi as-tu refusé Panisse? C'était si simple, il n'y avait qu'à dire oui...

> Un Homme qui porte la livrée d'un hôtel paraît près de l'éventaire. Il se met à tripoter les oursins et les violets et en mange plusieurs.

HONORINE

Et l'autre qui en profite pour nous voler... Hé, qu'est-ce que c'est?

L'HOMME

Où elle est la marchande?

HONORINE

C'est moi. Qu'est-ce que vous voulez?

L'HOMME

Je vous cherchais. C'est la commande de poisson pour l'hôtel de l'Univers et du Portugal.

HONORINE

Ah! bon! Ils sont dans le vivier... Allez-y, je vous rejoins... (Elle se lève. A Fanny.) Penses-y, hein, Fanny? Parce que je t'ai élevée toute seule, que je me suis donné beaucoup de mal pour toi et que la chose de ma sœur Zoé nous oblige à être plus honnêtes que les autres. (Elle va pour l'embrasser, mais elle se ravise.) Et puis non, je ne t'embrasse plus tant que tu n'es pas fiancée. (Sur le seuil elle la regarde, elle s'arrête. Fanny va s'élancer vers elle, mais Honorine se reprend encore une fois.) Non, non, je ne t'embrasse pas.

Elle sort.

## Scène X

## FANNY, PANISSE

PANISSE, entre, presque joyeux.

Fanny, ça y est. Il ne part pas. J'ai demandé à son ami
le quartier-maître. Il ne part pas. Et même, je puis te dire
une chose qui va te faire plaisir : c'est pour rester avec toi
qu'il ne part pas. Moi, pardonne-moi. Hier au soir, je t'ai
mis la puce à l'oreille : dans ton intérêt, tu me comprends.
C'était une fausse manœuvre, puisqu'il n'avait pas l'intention
de partir. Mais je l'avais fait de bon cœur. D'ailleurs, tout
ce qu'on fait de bon cœur, c'est toujours une fausse manœuvre.
Enfin, il ne part pas. Et toi, tu peux être tranquille : il n'est
pas à bord. Il est dans sa chambre. Mais pourquoi pleures-
tu, Fanny ?

FANNY

S'il ne part pas sur ce bateau, c'est un autre qui l'em-
portera.

PANISSE

Mais non, petite, allons, mais non ! C'est cette fois-ci
que c'était difficile parce que tu n'étais pas encore sa femme. Mais penses-y un peu, toi qui es si raisonnable : dès
qu'il sera marié avec toi, il sentira tout son bonheur, il ne

pensera plus à de pareilles bêtises. Voyons, tu crois qu'un homme qui se gagne une femme aussi belle que toi peut avoir l'envie de la quitter pour courir les mers? Il sera bien trop occuper à surveiller les galants qui seront autour de toi comme les mouches sur une fraise! (Un petit temps.) Est-ce que tu crois qu'il ne t'aime pas?

### FANNY

Il m'aime, je le sais, j'en suis sûre... Jamais il n'aimera une autre femme autant que moi. Si vous l'aviez vu tout à l'heure, quand le marin est venu le chercher! Il était tout pâle, il tremblait comme ceux qui vont mourir, et pourtant il lui a dit non! Il reste, et c'est pour moi qu'il reste!

### PANISSE

Je te l'ai dit! Tu vois bien que tu as tort de pleurer!

### FANNY

Mais s'il ne part pas, il ne sera jamais heureux. Allez, je l'ai bien vu, Panisse; depuis un mois je le regarde, j'essaie de lui faire oublier ces idées, c'est impossible, il y pense toujours! J'ai beau y mettre tout mon cœur, ça ne sert à rien. On ne peut rien faire, Panisse, contre ces choses qu'on ne voit pas! J'en suis bien sûre maintenant : cette corde qui le tire ne se cassera jamais.

### PANISSE

Mais alors, que voudrais-tu faire?

### FANNY

Est-ce que je puis supporter cette idée, moi, que je suis

le malheur de sa vie? Vous avez vu comme il est pâle et comme il fait semblant de rire pour que je croie qu'il est guéri. Non, non, je ne veux pas le voir mourir ici, et puisqu'il veut sa liberté, au moins que ce soit moi qui la lui donne!

### PANISSE

Ah! mais non, Fanny! Ne te presse pas! Ne lui parle pas maintenant! Tu es toute nerveuse, toute agitée... Non, prends au moins le temps de réfléchir!

### FANNY

J'y ai pensé plus de trente jours, j'en ai pleuré plus de trente nuits... Il faut que ce bateau l'emporte.

### PANISSE

Mais toi, s'il partait, que deviendrais-tu?

### FANNY

Il sera heureux.

### PANISSE

Et toi, pendant ce temps, tu vendras tes moules en pleurant sous le vent, le soleil ou la pluie? Non, laisse-moi te conseiller... Écoute, viens ici. (Il la fait asseoir.) Dans le fond, je pense un peu comme toi. Ce garçon ne te fera pas un très bon mari, parce qu'il tire du côté de sa mère : une famille de marteaux. Et dans tous ces beaux jeunes gens que je voyais tourner autour de toi, tu aurais pu bien mieux choisir. Mais maintenant, c'est un peu tard. Vous n'êtes pas encore fiancés, mais tout le monde en parle comme si c'était fait! Il y a même de mauvaises langues qui disent que plusieurs fois on a vu Marius sortir de chez toi de bon matin. Pense à ta mère, Fanny? Pense aux regards qu'on lui fera à la poissonnerie. Tu sais qu'ici une femme mariée peut tout faire sans que personne ait l'idée de la blâmer. Mais une jeune fille, c'est terrible!

### FANNY

Mais alors, que faut-il que je fasse? Quoi? Que je me jette à la mer?

### PANISSE

Mais non! Mais non!

### FANNY

Mais oui, puisqu'il faut qu'il s'en aille et que s'il part je suis perdue!

### PANISSE

Mais non, ne pleure pas comme ça. Écoute, moi, je ne veux qu'une chose : c'est que tu ne sois pas malheureuse. Tiens, admettons que tu aies raison. Il faut qu'il parte maintenant, plutôt que de te laisser dans six mois. Bon, le voilà parti. Et maintenant, une supposition qu'à cause de ta mère et des gens, tu aies besoin d'un mari, une supposition que toute cette histoire t'ait un peu fatigué le moral et que tu aies envie, pour te distraire, de diriger un gros commerce, de faire marcher des ouvrières, et en même temps d'avoir près de toi un homme d'expérience qui s'occupe de toi et qui te gâte comme un petit enfant? Eh bien, il me semble que ça ne serait pas difficile à trouver et tu n'aurais peut-être pas besoin d'aller chercher bien loin. (Elle le regarde, étonnée. Il se reprend comme pour s'excuser.) C'est une supposition...

### FANNY

Non, Panisse, ce n'est plus possible, je ne peux plus me marier honnêtement.

### PANISSE

Honnêtement? Est-ce que tu crois que ce serait mal-honnête qu'un homme qui est seul au monde consacre le restant de sa vie à consoler une petite fille malheureuse?

### FANNY

Vous me prendriez comme je suis?

### PANISSE

Tu es encore trop belle pour moi.

### FANNY

Mais vous savez que c'est lui que j'aime, que je l'aimerai toute ma vie, que j'y penserai toujours!

### PANISSE

Eh bien, tu y penseras! Qu'est-ce que tu veux que j'y fasse? Ce n'est pas de ma faute. Qui est-ce qui pourrait me le reprocher?

### FANNY

Non, Panisse, vous êtes trop bon.

### PANISSE

Oh! pauvre, d'être bon c'est bien plus facile que d'être

beau. Et puis, ce n'est pas vrai, je ne suis pas bon. Si je te fais cette offre, c'est parce que c'est toi, et si le bon Dieu voulait que ça s'arrange, ce serait le plus beau cadeau qu'il m'aurait fait... Parce que... D'ailleurs, tu me fais dire des bêtises, parce que ce garçon ne partira pas, s'il a deux sous d'honnêteté.

Un coup de sifflet du bateau.

FANNY

Ils partent?

PANISSE

Non. Il y a encore un grand tas de caisses sur le quai. Ils en ont encore pour longtemps...

Le bateau siffle de nouveau. La porte de la chambre de Marius s'ouvre brusquement, Marius paraît. Il est très pâle. Il se jette au cou de Fanny. Panisse disparaît.

## Scène XI

## MARIUS, FANNY

#### MARIUS

Fanny, c'est toi!...

#### FANNY

Prends garde, ma mère peut nous voir.

#### MARIUS

Maintenant, qu'importe... Au contraire. Il vaut mieux qu'elle nous voie... Tiens, allons lui parler tout de suite. Viens, Fanny, viens avec moi. (Il s'élance, mais soudain il voit le bateau, il recule.) Ou plutôt non. Pas dehors. Va lui dire qu'elle vienne ici, que nous voulons lui parler.

#### FANNY, elle rit.

Tu veux me demander si brusquement?

#### MARIUS

Nos parents savent tout. Dépêchons-nous, Fanny... Il faut que la situation soit nette.

#### FANNY

Oui, le plus tôt possible.

MARIUS

Appelle ta mère, nous lui parlerons tout de suite... (D'un signe de tête elle refuse.) Pourquoi? Tu préfères que j'aille chez toi ce soir, avec mon père? (Fanny refuse encore.) Mais pourquoi, Fanny? Qu'y a-t-il? Tu sais que j'ai besoin de toi, qu'il me faut ta présence à toutes les heures, et depuis plus d'un mois c'est toi qui retardes le mariage. Dis au moins pour quelle raison.

FANNY

Tu es si pressé, Marius?

MARIUS

Si tu m'aimes, ne perds pas une heure. Appelle ta mère.

FANNY

Est-ce que tu tiens vraiment beaucoup à m'épouser?

MARIUS

Encore cette question?

FANNY

C'est grave, un mariage... On s'engage pour la vie entière... Pour toute la vie...

MARIUS

Oui, tu me l'as déjà dit hier au soir. Tu crois que je ne le sais pas?

FANNY

Es-tu sûr que tu m'aimes assez?

MARIUS

Regarde, Fanny, tu vois ce bateau qui est à quai, à gauche? C'est la *Malaisie*.

FANNY

Je le sais.

MARIUS

Il va partir pour les mers du Sud... Je suis inscrit sur le rôle. J'ai une place à bord, depuis longtemps... On est venu m'appeler tout à l'heure... Je n'avais qu'à prendre mon sac, il est tout prêt. Et si je voulais, maintenant, je n'aurais qu'à traverser le quai. Pourtant, tu vois, je reste... Je reste avec toi.

FANNY

Pour combien de temps?

MARIUS

Si tu m'aides, ce sera pour toujours.

FANNY

Oui, peut-être... Mais si tu m'épouses, tu ne seras jamais heureux.

MARIUS

Je reste. Que veux-tu de plus? Allons, Fanny, appelle ta mère.

FANNY

Tu tiens à me donner ton nom, j'en suis bien fière, Marius... Mais ce n'est pas tout à fait par amour : c'est par honnêteté. Parce que tu te crois responsable... Eh bien, non, va, tu n'es responsable de rien.

MARIUS

Comment?

FANNY

Tu n'as rien demandé, Marius. C'est moi qui suis venue un soir. Cette faute est mienne, ne t'en charge pas.

MARIUS

Quoi? Tu voudrais te sacrifier?

FANNY

Mais non. Ne prends pas de grands mots. Ce que je fais, c'est bien un peu par amitié, mais c'est aussi que je connais mon intérêt.

MARIUS

Ton intérêt c'est d'avoir un mari.

FANNY

C'est d'avoir un mari que je puisse garder. Va, Marius, suis ton désir, il ne te pousse pas vers moi.

MARIUS

Comment? Tu voudrais que je parte?

FANNY

Tu n'as qu'à traverser le quai.

MARIUS

Ah! tais-toi, ne me tente pas, Fanny. Si tu m'aimes, prends-moi contre toi, cache mes yeux avec ta main, retiens-moi de toutes tes forces. Tu ne vois donc pas que ça m'a repris? Tu ne sens pas que si tu dis encore un mot, je vais partir?

FANNY

Ne souffre pas pour rien, tu as encore le temps.

MARIUS

Mais alors, toi, tu ne m'aimes pas?

FANNY

Oui, je t'aime; je sens qu'il faut te parler franchement... Quand je suis venue te chercher, j'étais encore une petite fille, je ne savais rien de la vie... Maintenant, je vois les choses d'une autre façon... Tellement que je me demande si je t'aime vraiment d'amour...

MARIUS

Fanny...

FANNY

Je ne saurais pas bien te l'expliquer, mais il me semble que tu es mon frère, et j'aimerais mieux te savoir heureux loin de moi que de te voir souffrir ici...

MARIUS

C'est une épreuve que tu tentes. Tu veux voir ce que je vais faire. Ne joue pas ce jeu... ça fait trop de mal.

FANNY

Va, je te le jure, ce n'est pas un jeu. Tu es libre.

MARIUS

Mais, malheureuse, que deviendrais-tu si je te quittais?

FANNY

Ne sois pas en peine, va, j'y ai pensé.

MARIUS

Tu y as pensé? Quoi? Que veux-tu dire? Panisse? Non, ce n'est pas possible. Tu n'as pas l'idée d'épouser Panisse?

FANNY

Lui ou un autre. Pourquoi pas?

MARIUS

Tu oserais, maintenant?

FANNY

Je lui ai tout dit.

MARIUS

Mais quoi? C'est donc vrai? Tu lui as parlé? Regarde-moi. Tu lui as parlé? (Fanny fait signe que oui.) Quand?

FANNY

Plusieurs fois.

MARIUS

Alors, quand tu m'as dit que tu l'avais refusé, tu mentais? (De la tête elle dit oui.) Fanny...

FANNY

Ce n'est pas pour moi, Marius. Tu sais bien que dans les familles, il y a des questions d'intérêt... Ma mère n'est plus jeune, son travail la fatigue...

MARIUS

Fanny...

FANNY

L'amour n'est pas tout dans la vie, il y a des choses plus fortes que lui.

MARIUS, il s'écarte d'elle, il se parle à lui-même, avec une grande amertume.

Alors, pendant que je luttais contre mon envie et que je souffrais en silence, ils arrangeaient leur affaire entre eux.

FANNY

Où vas-tu?

MARIUS

Laisse-moi... laisse-moi... laisse-moi...

Il rentre dans sa chambre. Fanny reste figée devant la porte qu'elle regarde de toutes ses forces. Paraît Piquoiseau.

## Scène XII

### FANNY, PIQUOISEAU, puis MARIUS, PANISSE, CÉSAR

#### PIQUOISEAU

Marius...

#### FANNY

Que veux-tu, sale mendiant?

#### PIQUOISEAU

Il reste du temps... Il reste du temps...

#### FANNY

Va-t'en, misérable... Va-t'en, assassin!

#### PIQUOISEAU

Pourquoi mentais-tu, hier au soir? Tu nous as dit qu'il partirait et tu le retiens, sale garce!

> Un coup de sifflet prolongé. Marius paraît sur la porte. Il traîne son sac de marin.

#### FANNY

Tu pars?

#### MARIUS

Chacun s'en va vers ce qu'il aime. Toi tu épouses l'argent de Panisse et moi, j'épouse la mer. Ça vaut mieux pour tous les deux.

#### FANNY

Oui, ça vaut mieux pour tous les deux... Mais si tu m'as aimé seulement une heure, laisse-moi te faire une caresse d'amitié.

PIQUOISEAU, à Marius.

Viens... viens...

Tous deux sortent.

PANISSE, entrant.

Comment, il part? Tu le laisses partir? Attends un peu. Je connais quelqu'un qui le retiendra. (Il va ouvrir la porte de la cuisine.) César? César?

Soudain, Marius reparaît sur la porte du bar, la tête baissée. Fanny, avec une immense émotion, s'approche de lui.

FANNY

Tu restes?

MARIUS

Je ne peux pas passer. Mon père est devant le bateau. Que faire? Ils larguent les amarres.

PIQUOISEAU

Il vient.

FANNY

Passe par la fenêtre de ta chambre comme si tu allais à un rendez-vous d'amour. Fais le tour de la place de Lanche. Pendant ce temps, je retiendrai ton père... Non, non, ne dis plus rien... Va-t'en... Va-t'en... (Elle le pousse dehors avec violence.) S'il m'aimait comme je l'aime, il aurait compris...

Panisse se précipite vers le navire. Soudain, il s'arrête. César vient de paraître sur la porte, songeur. Panisse l'aborde.

PANISSE

César! Marius est là-bas!, devant la *Malaisie* : il veut te parler...

Fanny se met entre eux et repousse Panisse en riant.

FANNY

Mais non! Il est allé chercher mes paniers à la gare!
C'est moi qui viens de l'envoyer.

CÉSAR, regardant Panisse.

Qu'est-ce qu'il y a?

PANISSE

Il se passe ici des choses qui font trop de peine à voir.
Ouvre les yeux et tu les verras.

CÉSAR

Pauvre fada! Il y a longtemps que je les ai vues... Bonjour, Fanny... Oh! comme tu es rose, pitchounette... On
dirait que tu as pleuré.

FANNY, souriant.

Peut-être.

CÉSAR

Alors, Marius t'a parlé?

FANNY

Oui.

CÉSAR

Et vous êtes d'accord?

FANNY

Oui.

CÉSAR

Enfin! Tu ne peux pas t'imaginer comme ça me fait
plaisir! Brave petite Fanny! Brave fille! (Il lui caresse les cheveux.) Tu sais que je suis bien content d'avoir une bru aussi
jolie que toi?

FANNY

Oh! Il y en a de plus jolies!

CÉSAR

Qui ça? Tu en connais de plus jolies que toi? Va les chercher. On les mettra à ta place. Qu'est-ce que tu regardes? Tu attends Marius? On ne te le mangera pas en route... Il va venir...

Elle regarde sans cesse du côté de la porte du bar.

FANNY

Je sais bien.

CÉSAR

Et maintenant, je vais te dire une chose. Tu ne sais pas depuis combien de temps j'y pense à ce mariage?

FANNY

Depuis... trois mois?

CÉSAR

J'y pense depuis onze ans. Qu'est-ce que je dis, onze ans? Depuis quatorze ans, avant que tu ailles en Algérie. Tu n'étais pas plus haute qu'un pot de fleurs! Un soir, dans le bar, la mère du petit t'a soulevée dans ses bras et elle t'a dit en t'embrassant : " Pas vrai, Fanny, que tu seras la femme de Marius? " Et tout le monde riait; mais toi, tu n'as pas ri. Tu as ouvert tes grands yeux et tu as dit : " Oui... " Et tu vois, ça arrive... Allez, viens, donne-moi le bras, allons faire un petit tour sur le port.

FANNY

Et s'il vient des clients?

CÉSAR

Les clients! Ils attendront. Nous allons voir partir la *Malaisie*. Arrive, ma bru.

FANNY

J'aimerais mieux rester ici, avec vous, pour parler de choses qui nous intéressent.


CÉSAR

Et de quoi?

FANNY

De l'appartement, par exemple.


CÉSAR

L'appartement? Mais tu viens habiter ici! Est-ce que tu t'imagines que je veux vivre seul comme une vieille bête? Ah! non! Je peux te le dire à toi maintenant. Des fois, je bouscule Marius, mais si je restais six mois sans le voir... j'en crèverais... J'ai déjà fait mon petit plan, à moi. D'abord... (A Panisse qui écoute.) Toi, tu es un curieux, et tu devrais bien tourner ta grande oreille de l'autre côté. (A Fanny.) D'abord, je vais prendre pour moi la chambre de Marius, et je vous laisserai la mienne...

Un coup de sifflet ébranle les airs.


PANISSE

Le voilà qui part!

CÉSAR

Bon voyage! Et que le bon Dieu les surveille! (Fanny tient son cœur à deux mains.) Ma chambre est beaucoup plus grande et tu pourras faire quelque chose de gentil, de gai... Tu comprends?

FANNY

Oui, quand on a de la place, c'est plus facile de tout arranger.

CÉSAR

Et puis, à côté de ma chambre, il y a une petite pièce qui me sert de débarras. Sais-tu qui nous y mettrons, si tu veux?... (A voix basse.) Un petit lit. Tout petit, tout petit...

FANNY

Oui, tout petit... tout petit...

Elle est devenue toute blanche, elle vacille sur sa chaise, elle tombe en avant. César la retient.

CÉSAR

Fanny... Qu'est-ce qu'elle a?

Panisse se précipite et, avec des précautions infinies la prend dans ses bras.

PANISSE

Fanny, ma petite fille.

CÉSAR

Passe-moi le rhum, Marius... Mais où il est cet enfant?...

Elle ouvre les yeux, des yeux sans regard. César a couru au comptoir. Il se hâte, il verse un verre de rhum qu'il apporte au bout de ses doigts tremblants. Et Piquoiseau, qui, jusque-là, cachait son visage sur ses bras repliés, lève la tête. On voit sa figure sale où les larmes font des lignes blanches et il murmure.

PIQUOISEAU

Suez, Aden, Bombay, Madras, Colombo, Macassar...

Pendant que descend le

RIDEAU

*Paris, Décembre 1927.*

Date D

BRODARD ET TAUPIN — PARIS-COULOMMIERS
9862-II-10-54-3601. Dép. lég. : 400-4ᵉ tri. 1954. Imp. en France